Jared,

der Weg ist gelegt.
Wir müssen ihn gehen.
Das Ziel ist in uns!

Nov. 02

Folke Tegetthoff

Gott ist überall zu Hause
Tales from Heaven

Folke Tegetthoff

Gott ist überall zu Hause

Geschichten aus den Weltreligionen

Tales from Heaven

About God and the World

Englische Übersetzung
von Milton Grimes

nymphenburger

For Inger

Besuchen Sie uns im Internet unter
http://www.nymphenburger-verlag.de

© Folke Tegetthoff
© 2002 nymphenburger in der F. A. Herbig Verlagsbuchhandlung
GmbH, München.
Alle Rechte, auch der photomechanischen Vervielfältigung und des
auszugsweisen Abdrucks, vorbehalten.
Schutzumschlaggestaltung: Wolfgang Heinzel
Satz: Filmsatz Schröter GmbH, München
Gesetzt aus 10.5/13.5 Punkt Sabon
Druck und Binden: Wiener Verlag, Himberg
Printed in Austria
ISBN 3-485-00949-0

Contents

Inhalt

From the Christian Tradition

Something New in the Old
  Story 1 (O) 10
Something New in the Old
  Story 2 (O) 14
Something New in the Old
  Story 3 (O) 18
The First White
  Person (C) 22
Noah (C) 24
Rosemary (O) 32
A Letter to Serenity (O) 40
Horsefly (C) 44
Big Sixteen and the
  Devil (C) 46
The Lawyer (C) 50
The Fox and the
  Rooster (C) 54
The Robin (C) 56
At the County Fair (C) 58
The One Legged
  Chicken (C) 60
Light into Darkness (O) 62
Love Like Salt (C) 66
God's Trees (O) 70
An Old Story (O) 76
Peace (O) 84
Dill (O) 88
The Long Way (O) 92
The Magic Cube (O) 108

Aus dem Christentum

Neues zur alten
  Geschichte 1 (O) 11
Neues zur alten
  Geschichte 2 (O) 15
Neues zur alten
  Geschichte 3 (O) 19
Der erste weiße
  Mensch (C) 23
Noah (C) 25
Rosmarin (O) 33
Brief an die Stille (O) 41
Pferdefliege (C) 45
Die Große Sechzehn und der
  Teufel (C) 47
Der Anwalt (C) 51
Fuchs und
  Hahn (C) 55
Das Rotkehlchen (C) 57
Auf dem Jahrmarkt (C) 59
Das einbeinige
  Huhn (C) 61
Licht ins Dunkel (O) 63
Liebe wie Salz (C) 67
Gottes Bäume (O) 71
Eine alte Geschichte (O) 77
Frieden (O) 85
Dill (O) 89
Der lange Weg (O) 93
Zauberwürfel (O) 109

From the Islamic Tradition

Chief Kaire and the
  Head (C)   116
The Ram on a
  Pilgrimage (C)   122
The Day Thief and the Night
  Thief (C)   130
Death in Baghdad (C)   142
Mohammed and the
  Beggar (C)   144
The Field of
  Life (C)   146
Hodscha and the New
  Stars (O)   148
Hodscha and the
  Bath (C)   150
Till and the Golden
  Hens (C)   152
Till and
  Learning (C)   154

From The Judaic Tradition

The Fox in the Herb
  Garden (C)   158
The Fox As a
  Lawyer (O)   160
The Spoons (C)   164
The Butterfly   166
Hasidic
  Problem (C)   168
The Thief (C)   170
Curious
  Geysel (C)   176
The Temple of Brotherly
  Love   186
On the Creation of the
  World (C)   188

Aus dem Islam

Häuptling Kairé und der
  Totenkopf (C)   117
Der Bock auf
  Pilgerreise (C)   123
Der Tagdieb und der Nacht-
  dieb (C)   131
Der Tod in Bagdad (C)   143
Mohammed und der
  Bettler (C)   145
Der Acker des Lebens (C)
  147
Hodscha und die neuen
  Sterne (O)   149
Hodscha und das
  Bad (C)   151
Till und die goldenen
  Hühner (C)   153
Till und das
  Lernen (C)   155

Aus dem Judentum

Der Fuchs im Kräuter-
  garten (C)   159
Der Fuchs als
  Anwalt (O)   161
Die Löffel (C)   165
Der Schmetterling   167
Chassidisches
  Problem (C)   169
Der Dieb (C)   171
Der neugierige
  Geysel (C)   177
Der Tempel der Bruder-
  liebe   187
Von der Erschaffung der
  Welt (C)   189

The Wondrous Rabbi (C) 192		Der wundersame Rabbi (C) 193		

From the Buddhist and Hindu Tradition

Aus dem Buddhismus und Hinduismus

Thousand Mirrors (C)   200
Tausend Spiegel (C)   201

The Clever Hare (C)   202
Die List des Hasen (C)   203

Providence (C)   208
Die Vorsehung (C)   209

The Most Important (C)   212
Das Wichtigste (C)   213

About Talking (C)   214
Über das Sprechen (C)   215

The End of the World (C)   216
Die Welt geht unter (C)   217

Till and an Interesting Story (O)   222
Till und eine interessante Geschichte (O)   223

Till and Happiness (O)   230
Till und das Glück (O)   231

The Old Man (O)   232
Der alte Mann (O)   233

The Bird Cage (O)   234
Der Vogelkäfig (O)   235

References   238
Quellennachweis   238

All titles followed by (O) are original tales written by Folke Tegetthoff and published in one of his books.
All titles followed by (C) were collected and retold by Folke Tegetthoff; some he heard, some he found in various collections of folk tales and were published in his book "God is at home everywhere" (1992).

Alle mit (O) gekennzeichneten Titel sind Originalgeschichten von Folke Tegetthoff, die in seinen Büchern bereits veröffentlicht wurden.
Alle mit (C) gekennzeichneten Titel wurden von Folke Tegetthoff gesammelt und neu erzählt; einige von ihnen hat er gehört, andere fand er in unterschiedlichen Sammlungen von Volkserzählungen. Er veröffentlichte sie in seinem Buch „Gott ist überall zu Hause" (1992).

From the Christian Tradition

*

Aus dem Christentum

Something New in the Old Story 1

The Three Kings had departed the next morning on the first train. The starlight had long since faded; the choir of angels had climbed aboard a ship of clouds. One angel had fallen asleep on the roof of the stable.

The morning had a hard time waking up. But then again, it had been a heavenly night, the kind you like to enjoy to its fullest. The sun finally did rise, bathing the small village, whose name no-one yet knew, in a flood of gold.

The mayor hurried to the stable with broad strides, ripped open the door, and acted terribly important.

"So, I've heard that a child was born here last night. Here in this stable. That is not the way things are done; everything has to work according to the rules." And he pulled a stack of papers and a pencil out of his briefcase.

"Let's see now ... first ... the child's name!"

The donkey pawed the ground and ate some hay.

"Well, what will the child be called? First and last name!"

The man's loud voice woke up the baby and made him cry. The mother picked him up and began to nurse him. "He will be named Jesus," she said proudly.

"Alright, ... Jesus. Um, I suppose it is your child! First name then: Jesus ... And the surname?" The mother turned to the father, who sat quietly in the corner shrugging his shoulders. "You must know what your surname is! Everybody has a name. For instance, my name is Samuel Rosenblum and not just Samuel."

With that, the angel who had fallen asleep flew down from the roof. "Look, you old fool; quit acting like that. You don't understand a thing. This is the *Son of God – Jesus Christ*!"

The mayor became angry. "I beg your pardon, you feathered fool, a little more respect, please. After all, I am still the

Neues zur alten Geschichte 1

Die drei Könige waren am Morgen mit dem ersten Zug abgefahren. Die Sternschnuppe war längst verglüht, der Engelschor hatte ein Wolkenschiff bestiegen. Ein Engel war auf dem Dach des Stalles eingeschlafen.

Der Morgen hatte schwer zu kämpfen. Na ja, es war immerhin eine himmlische Nacht gewesen, und so etwas will man bis zuletzt auskosten. Aber dann kam doch die Sonne und tauchte das kleine Dorf, dessen Name noch niemand wußte, in ihr Goldfaß.

Der Bürgermeister eilte mit großen Schritten auf den einen Stall zu. Riß die Türe auf und gab sich mächtig wichtig.

„Also, ich habe gehört, da soll letzte Nacht ein Kind geboren worden sein. Hier im Stall. Aber so geht das nicht, es muß ja alles seine Ordnung haben." Und er holte aus einer Mappe einige Bogen Papier und einen Bleistift.

„Nun ja, also ... zunächst ... den Namen des Kindes!"

Der Esel scharrte und fraß Heu.

„Nun, wie soll das Kind heißen? Vor- und Zuname!"

Von der lauten Männerstimme war das Baby aufgewacht und begann zu schreien. Die Mutter nahm es und gab ihm die Brust. „Es soll Jesus heißen", sagte sie stolz.

„Aha, Jesus, na, es ist ja Ihr Kind. Also – Vorname: Jesus ... Und Zuname?" Die Mutter wandte sich zum Vater, der still in einer Ecke saß und mit den Achseln zuckte. „Aber Sie werden doch wohl wissen, wie Sie mit Familiennamen heißen. Jeder hat einen Familiennamen. Ich heiße ja auch Samuel Rosenstrauch und nicht nur Samuel."

Da flog der Engel, jener, der verschlafen hatte, vom Dach herab. „Mann, Alterchen, hab' dich nicht so. Du begreifst das alles nicht. Das ist *Gottes Sohn – Jesus Christus!*"

Der Bürgermeister wurde böse: „Ich muß schon bitten, Sie komischer Flügelheini, ein bißchen mehr Respekt. Ich bin

mayor. Last name then, ... God. Why not just say: Jesus God. Good. And now the mother's name!" And he pointed his fat index finger at the mother. "Did you bear the child?" The mother looked toward the father for help, but he was still sitting quietly in the corner shrugging his shoulders. Finally she nodded, "Yes."

"Good. First and last name."

"My name is Mary."

The mayor became angry. "Not just Mary ... Mary God. Or aren't you actually married?" And he looked at her sternly. The angel flapped her wings threateningly three times. It helped. "Good, and now to the proud dad. Well then, what is your name?" adding sarcastically, "First *and* last name!"

The father no longer shrugged his shoulders. He knew that it was useless to say just Joseph, and so he said, "Joseph God." The mayor was satisfied. He put the papers in his briefcase and promised that the birth certificate would be issued in a few days. Everything must be done according to the rules. Then he mumbled a few more unintelligible words, went up to the manger, looked at the child, smiled, and said, "cuchicuchicoo", and when he left, peace returned to the stable, to the small village, and even to the mayor's conscience.

immerhin der Bürgermeister. Nachname also … Gott. Warum nicht gleich. Jesus Gott. So, und nun den Namen der Mutter!" Und er zeigte mit seinem Wurstzeigefinger auf die Mutter. "Haben Sie dieses Kind geboren?" Die Frau schaute hilfesuchend zum Vater, der still in der Ecke saß und noch immer mit den Achseln zuckte. Doch dann nickte sie: "Ja."

"Gut. Vor- und Zuname."

"Ich heiße Maria."

Der Bürgermeister wurde böse: "Nicht Maria, sondern Maria Gott. Oder sind Sie etwa nicht verheiratet?" Und er schaute streng. Der Engel schlug dreimal drohend mit den Flügeln. Das half. "So, und nun noch der stolze Papa. Na, wie heißen Sie denn?" Und in sehr scharfem Ton: "Vor- *und* Zuname!" Der Vater zuckte nicht mehr mit den Achseln. Er wußte, daß es keinen Sinn gehabt hätte, nur – Josef – zu sagen, und so sagte er: "Josef Gott." Der Bürgermeister war zufrieden. Legte die Papiere in die Mappe und versicherte, die Geburtsurkunde würde in den nächsten Tagen zugestellt werden. Es müsse ja alles seine Richtigkeit haben. Dann murmelte er noch einige unverständliche Worte, ging zur Krippe, sah das Kind, lächelte, machte: "Dulidulidu", und in den Stall, in das kleine Dorf und in das Gewissen des Bürgermeisters kehrte wieder Ruhe ein.

Something New in the Old Story 2

The sun was vacationing behind a thick wall of clouds. Icy wind and snow were playing a wild game of tag. "Awful weather, and on my sixth birthday, too," Jesus complained, and looked sadly out into the haze. "If only I could build a snowman with Gabriel or have a snowball fight." Mother Mary comforted him and suggested that he invite a few friends over. "I'll bake a cake and there is warm milk, and you can play. And besides, I don't really like to see you playing only with Gabriel. That archangel can be so childish!" A few big tears rolled down Jesus' face and he turned away, because … he didn't want to show that he was crying. But he was really sad. Nobody wanted to play with him anymore. The boys from the village always made fun of him: "Show off, know-it-all!" and they had even thrown rocks at him. And only because he had told them that he sometimes flew with Gabriel. "Does your Gabriel flap his arms or does he have wings?" they ridiculed.

"You're just jealous that you don't have an angel for a friend."

Little Isaac became curious. "What's an angel?" Jesus was amazed.

"What, you don't know any angels? That's someone with wings who lives in heaven."

"With … wings? And lives in … heaven? Ah, you're crazy!" yelled the children. Then Behavis, the chubby one, said, "My father tried to fool me with a story like that once. About Icarus. He made wings out of wax and wanted to fly across the ocean. But when he got too close to the sun, the wings melted and he crashed into the water. Is your Gabriel like that, too?" And everybody laughed, and Jesus was sad and went home.

"I'll show them," he thought to himself.

Neues zur alten Geschichte 2

Die Sonne machte Urlaub hinter dicken Wolkenmauern. Eiswind und Schnee spielten wie verrückt „Fang mich". „So ein Wetter, gerade an meinem sechsten Geburtstag", jammerte Jesus und schaute traurig in den Nebel hinaus. „Könnte ich doch mit Gabriel einen Schneemann bauen oder eine Schneeballschlacht machen." Mutter Maria tröstete ihn und schlug ihm vor, doch ein paar Freunde einzuladen. „Ich backe Kuchen, und es gibt warme Milch, und ihr könnt spielen. Ich sehe es sowieso nicht gern, daß du immer nur mit Gabriel zusammensteckst. Daß Erzengel noch so kindisch sein können!" Ein paar dicke Tränen rollten über Jesus' Gesicht, er drehte sich weg, denn ... na ja, er wollte eben nicht zeigen, daß er weinte. Aber traurig war er wirklich. Keiner wollte mehr mit ihm spielen. Die Jungen aus dem Dorf riefen ihm nur nach: „Angeber, Angeber!", und sie hatten sogar schon mit Steinen nach ihm geworfen. Nur weil er erzählt hatte, daß er manchmal mit Gabriel eine Runde flöge. „Flattert dein Gabriel mit den Armen, oder hat er sogar Flügel?" spotteten sie.

„Ach, ihr seid ja nur neidisch, weil ihr keinen Engel als Freund habt!"

Der kleine Isaac wurde neugierig: „Was is 'n Engel?"

Jesus war erstaunt: „Was, ihr kennt keine Engel? Das ist einer mit Flügeln dran, und wohnt im Himmel."

„Mit – Flügeln? Und wohnt im – Himmel? Ach, du spinnst ja!" riefen die Kinder. Der rundliche Behavis erzählte: „Mein Vater hat mir auch so 'ne Geschichte aufbinden wollen. Von Ikarus. Der baute sich Flügel aus Wachs und wollte damit übers Meer fliegen. Aber dann kam er der Sonne zu nahe, die Flügel schmolzen, und er flog ins Wasser. Ist dein Gabriel auch so einer?" Und alle lachten, und Jesus war traurig und ging nach Hause.

„Denen werd' ich's noch zeigen", dachte er sich.

Naturally, Gabriel came on time for the birthday cake.

"Happy birthday!" he laughed, "What's your wish? Just name it."

"My only wish is that you take me flying again, soon. But this time over the village."

"Hmm, it's actually forbidden, but ... I'll do it for you. However, we'll have to wait for good flying weather." Even angels can't fly in just any kind of weather ...

Soon the icy wind and snow were tired and the sun wanted to work again. Gabriel stood neat and clean at the door, ready for take-off. Jesus asked him to fly over the park where his friends always played. "But," said Gabriel, "no one is supposed to see me." Then Jesus confessed that the children had made fun of him because of his angel, didn't believe anything he said, and didn't want to play with him anymore. That was of course reason enough to break the strict regulations for angels which stated: Never fly over inhabited areas. And Jesus climbed onto Gabriel's back, and he steered directly toward the children. You can't imagine how astonished the children were. And when Gabriel even promised to take each one of them for a ride, they could hardly believe it. And it was an afternoon made in heaven ...

Gabriel kam natürlich pünktlich zum Geburtstagskuchen.
„Alles Gute zum Geburtstag!", lachte er. „Was wünschst du dir, los, sag schon!"
„Ich wünsche mir nur, daß du bald wieder eine Runde mit mir fliegst. Aber über dem Dorf."
„Hm, ist ja eigentlich verboten, aber ... für dich mach' ich's. Wir müssen nur auf gutes Flugwetter warten." Ja, ja, Engel können auch nicht bei jedem Wetter fliegen.
Bald waren Eiswind und Schnee müde, und die Sonne hatte wieder Lust zur Arbeit. Gabriel stand frisch geputzt vor der Tür: Fertig zum Abflug. Jesus bat ihn, doch zu dem Platz zu fliegen, wo seine Freunde immer spielten. „Aber", sagte Gabriel, „man soll mich doch nicht sehen." Da beichtete ihm Jesus, daß die Kinder ihn wegen seines Engels ausgelacht hatten, ihm nichts mehr glaubten und nicht mehr mit ihm spielen wollten. Das war allerdings ein Grund, einmal die strenge Vorschrift für Engel zu brechen: Fliege nie über bewohntem Gebiet! Und Jesus schwang sich auf Gabriels Rücken, und er steuerte direkt zu den Kindern. Man braucht nicht zu beschreiben, wie die Kinder staunten. Und als Gabriel auch noch versprach, jeder dürfe eine Runde mit ihm fliegen, konnten sie es überhaupt nicht fassen. Und es wurde ein Nachmittag, wie ihn sich halt nur der Himmel ausdenken kann ...

Jesus lived with his parents near a large estate. The owners had a small boy named Aaron, who was the same age as Jesus. The two boys had a lot of fun together, explored all the fields, played cops and robbers, sang, and were very happy. Little Aaron's father was a distinguished gentleman. Therefore, he did not like to see his fine little boy being such good friends with a common lad. "He's not good company for you. Play with the furrier's children or the mayor's, but not with this Jesus. We don't even know where his parents come from. And anyway, you know what people have been saying. So, don't play with him anymore." And one day when Jesus called for his friend to play, a rough voice answered, "Get lost! Go on, get out of here! Aaron isn't going to play with you anymore." Jesus walked home slowly and didn't know what to think. He asked his mother why Aaron wasn't allowed to play with him anymore. She didn't want to tell him about the cruelty of some people, so she just said, "You love flowers very much, their colors and their scent. But do you know where colors and scents come from? From their roots. You don't see them and they don't have a scent. But, even so, they are the most important. *We* care for and protect the roots; Aaron's parents only smell the blossoms. And they don't want you to soil Aaron's shirt with your muddy hands, or touch their flowers with your muddy nose." Jesus looked at his mother in amazement. "But ... the flowers ... they belong to me too ..." He didn't see Aaron again.

Jesus had grown up, and had long ago understood his mother's words. He was a famous man; he was well known, and had there been television and radio and newspapers in those days – everyone would have known him. People wanted to be

Neues zur alten Geschichte 3

Jesus wohnte mit seinen Eltern in der Nähe eines großen Gutshofes. Die Gutsleute hatten einen kleinen Sohn, der hieß Aaron und war so alt wie Jesus. Die beiden Jungs hatten viel Spaß miteinander, trieben sich auf den Feldern herum, spielten „Guter Mann und Bösewicht" und sangen und freuten sich des Lebens. Der Vater des kleinen Aaron war ein vornehmer Herr. Darum sah er es nicht gern, daß sein feines Büblein mit einem gewöhnlichen Buben so gut Freund war. „Das ist kein Umgang für dich. Spiel mit den Kindern des Pelzhändlers oder des Bürgermeisters! Aber nicht mit diesem Jesus. Man weiß ja nicht einmal, wo seine Eltern herkommen. Und überhaupt. Man munkelt da so einiges. Also, spiel nicht mehr mit ihm!" Und eines Tages, als Jesus seinen Freund zum Spielen rief, antwortete eine rauhe Stimme: „Hau ab! Los, scher dich weg! Aaron spielt nicht mehr mit dir."
Jesus schlich heim und wußte nicht, was er denken sollte. Er fragte seine Mutter, warum Aaron nicht mehr mit ihm spielen dürfe. Sie wollte ihm nichts von der Grausamkeit der Leute erzählen, und so sagte sie nur: „Du liebst doch Blumen so sehr. Ihre Farben und den Duft. Aber weißt du, woher Farbe und Duft kommen? Von den Wurzeln. Die sieht man nicht, und sie riechen auch nicht. Und sind trotzdem am wichtigsten. *Wir* pflegen und beschützen die Wurzel, Aarons Eltern riechen an der Blüte. Und sie wollen nicht, daß du mit deinen erdigen Händen Aarons Hemd beschmutzt oder mit deiner erdigen Nase die Blumen berührst." Jesus sah die Mutter erstaunt an. „Aber ... die Blume ... gehört doch auch mir ..." – Er sah Aaron nicht wieder.
Jesus war erwachsen, hatte die Worte der Mutter längst verstanden. Er war ein berühmter Mann, man kannte ihn, und hätte es damals schon Fernsehen und Radio und Zeitungen gegeben – alle hätten ihn gekannt. Jeder wollte in seiner Nähe

near him, wanted to be able to say, "I am a friend of Jesus."
Jesus was a star. Once, when he was walking through the
streets with his followers, a hand grabbed his sleeve. "Hey,
Jesus, do you still know me? It's me, Aaron."

Jesus was happy to see Aaron and would have liked to talk to
him, but ... the crowd tore them apart, and Jesus disappeared
among hands and feet and heads. Aaron remained standing
on the street alone. He never saw Jesus again.

Jesus was killed. Aaron died. But somewhere and sometime
they met again. And there was no distinguished father and no
greedy crowds that could stop them from having the best of
times.

sein, wollte sagen können: Ich bin der Freund von Jesus. Jesus war ein Star. Als er wieder einmal mit seiner Schar durch die Straßen zog, griff ihn eine Hand am Ärmel. „He, Jesus, kennst du mich noch? Ich bin's, der Aaron."

Jesus freute sich, Aaron zu sehen, und hätte gern noch mit ihm gesprochen, aber ... die Menge riß sie auseinander, und Jesus verschwand in Händen und Füßen und Köpfen. Aaron blieb allein auf der Straße zurück. Er sah Jesus nicht wieder.

Jesus wurde getötet. Aaron starb. Aber irgendwo und irgendwann trafen sie sich wieder. Und da war kein vornehmer Vater und keine gierige Menge, die sie davon hätten abhalten können, mächtigen Spaß miteinander zu haben.

The First White Person

The first human being that God created was called Eve. The first man was Adam. They had two children, Cain and Abel. The Mom and the Dad and all their children were black. In those days, they were called Negroes. Cain, however, was an evil Black. Frequent shootings, knife stabbings, and gambling all the time. He was jealous of his brother Abel and killed him one day in a fight over the biggest watermelon in the field. The Lord came up behind Cain and said to him, "Cain, where is your brother?" Cain was an arrogant young man. He didn't even turn around before answering sarcastically, "Am I my brother's keeper? I didn't stick him in my pocket! I think he took off with the shotgun. He wanted to shoot a rabbit." And then the Lord became angry and he asked, "Cain, where is your brother?" At that, the black man turned around and saw that it was God, the Lord and Creator, who stood before him. He was so terribly frightened that his hair stood on end until it straightened and he turned very pale …

Now, my sisters and brothers, you know who the first white person on earth was.

Der erste weiße Mensch

Der erste Mensch, den der Herr erschuf, hieß Eva. Der erste Mann war Adam. Sie hatten zwei Kinder, Kain und Abel. Die Mama und der Papa und all ihre Kinder waren schwarz, man nannte sie Neger. Kain aber war ein böser Schwarzer, immer Schießereien, Messerstechereien und Glücksspiele. Er war eifersüchtig auf seinen Bruder Abel und tötete ihn eines Tages bei einem Streit um die beste Wassermelone auf dem Feld. Der Herr kam von hinten auf Kain zu und sagte zu ihm: „Kain, wo ist dein Bruder?" Kain war ein hochmütiger Bursche. Er drehte sich nicht einmal um, sondern antwortete großspurig: „Bin ich meines Bruders Hüter? Hab' ihn mir nicht in die Tasche gesteckt. Ich glaub', er ist mit der Schrotflinte losgezogen. Wollte sich ein Kaninchen schießen." Da wurde der Herr zornig, und er fragte: „Kain, wo ist dein Bruder?" Da endlich wandte sich der Schwarze um und sah, daß Gott der Herr und Schöpfer vor ihm stand. Er bekam einen furchtbaren Schreck. Seine Haare sträubten sich so sehr, daß sie gerade wurden, und im Gesicht wurde er ganz bleich ...

Nun, meine Schwestern und Brüder, wißt ihr, wer der erste weiße Mensch auf Erden war.

Noah

"No," said God, "Things cannot continue this way. These humans I populated the earth with are worthless. I have a notion to chase them off the face of the earth and send angels in their place." God went walking on the grand avenue, spoke to himself and pondered over what he could do about all the sins.

"Wrong," he muttered to himself, "angels are fine for singing, for playing and for flying around, but whether or not they could work the fields and build houses, now that's a different question. No, that's the wrong solution."

He kept on walking along the grand avenue, grumbling as he went, "People are just right for this world, if only they wouldn't sin so terribly much. I've had it with all the sinning. In fact, I would really prefer it if the sharks ruled the world instead of mankind with all its sins. I just can't stand this sinning any longer."

Then God met old man Noah, who also took his walks in this area.

"Good morning, brother," said Noah, "missed you in church this morning!"

"I don't have time to go to church," said God. "I have to work."

"Hah!" said Noah, "Nowadays everybody says he doesn't have time to go to church. The more I preach, the fewer the people who come to church. It's the pits. We no longer even have enough people for the church choir. I have to preach, and I also have to sing bass in the choir."

"Is that true?" asked God.

"Yes, unfortunately," said Noah, "everybody is busy playing cards and sinning. But then they call it work. And that's why they don't have any time to come to church. I want to tell you something, just between you and me. God doesn't

Noah

„Nein", sprach Gott, „so geht das nicht weiter. Diese Menschen, mit denen ich die Erde bevölkert habe, taugen nichts. Ich hätte gute Lust, sie von der Erde zu verjagen und Engel an ihrer Stelle auf die Erde zu schicken." Gott ging auf der großen Straße, sprach mit sich selbst und überlegte, was er nur gegen die Sünde tun könne.

„Falsch", redete er vor sich hin, „Engel sind recht zum Singen, zum Spielen und zum Herumfliegen, aber ob sie auch auf dem Feld arbeiten und Häuser bauen können, das ist doch schwer die Frage. Nein, so geht es auch nicht."

Er lief immer weiter auf der großen Straße und murmelte vor sich hin: „Die Menschen wären schon recht für diese Erde, wenn sie nur nicht so furchtbar viel sündigen würden. Ich habe die Sünden satt. Es wäre mir wahrlich lieber, auf dieser Welt würden Haifische hausen statt dieser Menschheit mit ihren Sünden. Ich kann Sünden nun einmal nicht ausstehen."

Da traf Gott den alten Noah, der auch in dieser Gegend spazierenging.

„Guten Morgen, Bruder", sagte Noah, „hab' dich heute früh in der Kirche vermißt!"

„Ich habe keine Zeit, zur Kirche zu gehen", sagte Gott. „Ich muß arbeiten."

„Ha!" sagte Noah, „heutzutage sagt jeder, er habe keine Zeit, in die Kirche zu gehen. Je mehr ich predige, um so weniger Leute kommen zum Gottesdienst. Es ist die Pest! Wir haben nicht einmal mehr genug Leute für den Kirchenchor. Ich muß predigen und dazu auch noch Baßstimme singen."

„Ist das wahr?" fragte Gott.

„Ja, leider", sagte Noah, „heutzutage ist jeder damit beschäftigt, Karten zu spielen und zu sündigen. Das nennen sie dann Arbeit. Und deswegen haben sie keine Zeit, in die Kirche zu kommen. Ich will dir was sagen ... im Vertrauen: Gott küm-

care about humans anymore. But when old Gabriel blows his trumpet, we'll all see that God still has a word or two to say."

"Brother Noah," said God, "don't you know who I am?"

"Let me think a minute," said Noah. "Your face does seem familiar. I just can't think of your name. But what difference does it make what your name is? Come home with me. I think that my dear wife is going to slaughter a chicken tonight. We'll eat and take a rest, and then this evening you can come listen to my sermon."

"Sounds fine to me," said God, "I always had a weakness for chicken. Didn't you say that you sing bass?"

"I don't sing well," said Noah, " but since there is no one else, it has to do."

"I was once a rather good bass singer," said God.

They went on to Noah's house, and God did not let on that he was no usual human being. They ate chicken and drank beer, and suddenly God said, "Brother Noah, I think it's starting to rain."

"I thought that it was going to rain today," answered Noah, "I have been feeling my rheumatism since noon. Just take it easy and make yourself comfortable!"

"What will you do now that it has started raining?" asked God.

"Well," said Noah, "mostly I just let it rain and wait until it passes."

"But suppose," said God, "that it rained for forty days and forty nights. What then?"

"I wouldn't worry," said Noah, "In the first place, I don't think that it will rain that long ... unless, of course, God were planning to punish us. In the second place, I am on God's side. He will take care of me even when it concerns the weather."

"You mean that God will protect you?"

"I believe only in Him and in nothing else," said Noah, "I know Him, you see. He will not abandon me."

mert sich nicht mehr um die Menschen. Aber wenn der alte Gabriel seine Trompete bläst, wird sich zeigen, daß Gott auch noch ein Wörtchen mitzureden hat."

„Bruder Noah", sagte Gott, „weißt du nicht, wer ich bin?"

„Laß mich mal nachdenken", sagte Noah, „dein Gesicht kommt mir bekannt vor. Mir fällt nur dein Name nicht ein. Aber was macht's, wie du heißt. Komm mit mir heim. Ich denke, meine alte Dame wird ein Huhn schlachten, und dann wollen wir essen und uns ausruhen, und abends kommst du mit zu meiner Predigt."

„Mir soll's recht sein", sprach Gott, „für Hühnchen hatte ich schon immer eine Schwäche. Sagtest du nicht, daß du Baß-Stimme singst?"

„Ich singe nicht schön", sagte Noah, „aber da niemand anders da ist, muß es eben gehen."

„Ich war mal ein recht guter Baß-Sänger", sagte Gott.

Sie liefen zu Noahs Haus, und Gott ließ Noah nicht merken, daß er kein gewöhnlicher Mensch war. Sie aßen Hühnchen und tranken Bier, und plötzlich sagte Gott: „Bruder Noah, ich glaube, es beginnt zu regnen."

„Hab' ich mir schon gedacht, daß es heute regnen wird", antwortete Noah, „ich spüre schon seit Mittag meinen Rheumatismus. Bleib nur ruhig und mach es dir bequem!"

„Was tust du, wenn es nun zu regnen anfängt?" fragte Gott.

„Tja", sagte Noah, „meistens ... laß ich es eben regnen und warte, bis es vorbei ist."

„Aber angenommen", sagte Gott, „es würde nun vierzig Tage und vierzig Nächte regnen. Was dann?"

„Ich mache mir keine Sorgen", sagte Noah. „Erstens glaube ich nicht, daß es so lange regnen wird ... es sei denn, Gott hätte vor, uns zu bestrafen. Zum zweiten: Ich bin auf Gottes Seite. Er wird schon für mich sorgen, auch was das Wetter angeht."

„Du meinst, Gott wird dich beschützen?"

„Ich glaube nur an ihn und an sonst nichts", sagte Noah. „Ich kenn ihn, weißt du. Er läßt mich nicht verkommen."

Then God stuck His hand into the pocket of His robe, took out His crown and put it on His head. Then He spoke and from his mouth came thunder and lightening. Old Noah fell to his knees.

"Oh, it is you, God," he said, "it is you. I'm sorry that I had nothing more to offer you."

"Noah," said God, "it will now rain forty days and forty nights. Everyone that is a sinner on this earth will drown. And that means everyone but you and your family. You must go out and build an ark now, big enough for a pair of elephants, a pair of cows, a pair of donkeys, a pair of snakes, and a pair of everything else that creeps and flies. Also, you had better make the ark big enough to store some supplies. With what I have in mind you won't be able to run to the store to shop when it really starts to rain."

"Snakes too, Lord?" asked Noah.

"Snakes too," said God.

"In this wet weather?" Noah said, a little concerned.

"I didn't think of that," said God, "Maybe it would be better if we didn't take any snakes on board."

"I'm afraid of snakes," said Noah. "I always get sick around snakes unless I have a bottle of brandy nearby."

"I don't think much of brandy," said God, "but it's supposed to be good against snake bites. At least I heard it was."

"… and against the rain and wet weather too," said Noah. "It will be hard to deal with my arthritis if I don't have a little brandy on board."

"Alright, you had better take a case of brandy with you then," said God.

"Maybe it would be better with two," suggested Noah, "because of the balance in the boat, you understand. One case on

Da griff Gott in die Tasche an seinem Hemd und zog seine Krone hervor und setzte sie auf. Dann redete er, und Blitz und Donner kamen aus seinem Mund. Der alte Noah sank auf die Knie.

„Ach, du bist es, Gott", sagte er, „du bist es. Tut mir leid, daß ich dir nicht mehr bieten konnte."

„Noah", sagte Gott, „es wird jetzt vierzig Tage und vierzig Nächte regnen. Jeder, der auf dieser Erde ein Sünder ist, wird ertrinken. Und das bedeutet – alle, außer dir und deiner Familie. Nun los, steh auf und bau eine Arche, groß genug, daß ein Paar Elefanten, ein Paar Kühe, ein Paar Maultiere, ein Paar Schlangen und ein Paar von allem, was sonst noch kreucht und fleucht, darin Platz haben. Du machst besser die Arche so groß, daß auch noch ein paar Nahrungsmittel darin verstaut werden können. Bei dem, was ich im Sinn habe, wirst du wohl kaum in einen Laden laufen und etwas einkaufen können, wenn es erst einmal richtig zu regnen angefangen hat."

„Schlangen auch, Herr?" fragte Noah.

„Auch Schlangen", sagte Gott.

„Bei dem nassen Wetter", gab Noah zu bedenken.

„Daran hatte ich nicht gedacht", sagte Gott. „Vielleicht sollten wir besser keine Schlangen an Bord nehmen."

„Ich habe Angst vor Schlangen", sagte Noah. „Bei Schlangen wird mir immer schlecht, wenn ich nicht eine Flasche Schnaps in der Nähe weiß."

„Ich mache mir nicht viel aus Schnaps", sagte Gott, „aber gegen Schlangenbisse soll er gut sein. Das habe ich auch schon gehört."

„... und gegen Regen und nasses Wetter auch", sagte Noah. „Mein Rheumatismus wird mir schwer zu schaffen machen, wenn ich nicht etwas Schnaps an Bord habe."

„Dann nimmst du wohl besser eine Kiste voll Schnapsflaschen mit", sagte Gott.

„Vielleicht doch besser zwei", meinte Noah, „wegen des Gleichgewichts im Boot, verstehst du. Eine Kiste auf die eine

one side and one on the other side. That way the boat can't capsize."

"One case only," said God, "and you're to put it in the middle of the deck so that I can always keep an eye on it. One case of brandy is enough for forty days and forty nights, whatever might happen. And when I say one case, I mean one case. Have we understood each other?"

"Yes, Lord," said Noah, "one case it is!"

Seite, die zweite Kiste auf die andere Seite. So kann das Boot nicht kentern."

„Eine Kiste", sagte Gott entschieden, „und du stellst sie mitten auf das Deck, damit ich sie immer im Auge habe. Eine Kiste voll Schnapsflaschen ist genug für vierzig Tage und vierzig Nächte, was immer auch geschehen mag. Und wenn ich sage eine Kiste, dann meine ich eine Kiste. Haben wir uns verstanden?"

„Ja, Herr", sagte Noah, „also eine Kiste!"

Rosemary

On a lonely road somewhere in The Holy Land, there grew a thorn bush, a rose bush, and a rosemary bush. Thornbush was very proud of his power; after all, he had secretly torn holes in so many people's clothes traveling on foot or on horseback.

"Did I tell you the story," began his bragging sessions which lasted for hours, "about the time when, yes siree, on this very spot, I made a deep scratch in King Herod's fine Roman skin?"

"Yeah, we know that story," yawned Rosebush, "we've heard it seven thousand times." Then it was quiet again for a few more months on that lonely road somewhere in The Holy Land.

One day Rosebush cried out, "Friends, friends! It's time; I'm beginning to bloom! Hurrah!"

"Every year the same fuss," mumbled Thornbush, "and all just because of a few silly blossoms." And then he said out loud, "But again this year, my dear lady, no one will admire your beauty."

"Stupid fool," complained the flower, "my relatives bloom at every king's court in the world. And I have been chosen to bring a little beauty into this sad, desolate landscape. And you can't exactly say the same for yourself, Thornbush, not to mention our Rosemary." With that, they succeeded in switching the subject to her.

"And just what is your purpose around here?" said Thornbush sarcastically. "You have neither thorns nor blossoms, nothing but this unpleasant odor."

"I'm not going to argue with you," said Rosemary, "I am one of God's creations just as you are, and I'm certainly not standing here in vain. Actually, I have no desire to injure people or to dazzle them with superficial beauty."

Rosmarin

An einer unscheinbaren Straße, irgendwo im Heiligen Land, wuchsen an einer Stelle ein Dornbusch, ein Rosenstrauch und ein Rosmarin. Der Dornbusch war sehr stolz auf seine Kraft, immerhin hatte er schon so manchem Reiter und Wanderer heimlich ein Loch in das Kleid gerissen.

„Kennt ihr die Geschichte", so begannen seine stundenlangen Prahlereien, „als ich dem König Herodes hier, jawohl hier an dieser Stelle, einen ellenlangen Riß in seine feine römische Haut verpaßte?"

„Ja, diese Geschichte kennen wir", gähnte der Rosenstrauch, „wir haben sie schon siebentausendmal gehört." – Dann war es wieder für ein paar Monate still an der unscheinbaren Straße, irgendwo im Heiligen Land.

„Freunde, Freunde", schrie der Rosenstrauch eines Tages auf. „Es ist soweit, ich beginne zu blühen! Hurra!"

„Jedes Jahr das gleiche Getue", murmelte der Dornbusch, „und alles nur wegen der paar läppischen Blüten." Und laut sagte er: „Aber auch dieses Jahr, gnädige Frau, wird Eure Schönheit niemand bewundern."

„Dämlicher, grober Kerl", schimpfte die Blume, „meine Verwandten erblühen an allen Königshöfen der Welt. Ich bin eben auserwählt, in diese traurige, trostlose Landschaft ein bißchen Schönheit zu bringen. Was man von dir, Dornbusch, nicht gerade behaupten kann. Von unserem Rosmarin ganz zu schweigen." Damit war wieder mal ein Themenwechsel gelungen. „Worin besteht eigentlich deine Aufgabe?"

Und der Dornbusch ätzte: „Weder Stacheln noch Blüten, nichts außer diesem unangenehmen Geruch."

„Ich streite mich nicht mit euch", sagte der Rosmarin, „ich bin Gottes Geschöpf wie ihr und stehe hier sicher nicht umsonst. Ich habe nämlich weder Lust, Menschen zu verletzen, noch mit oberflächlichem Gehabe zu blenden."

"Well, did you hear that?" quipped Rose.

"Disgusting," thundered Thornbush, "best just to ignore her."

Then it was quiet again for a few months on that lonely road somewhere in The Holy Land.

Nothing special happened during this time. Twelve soldiers, seven merchants, and a shepherd with his flock passed by without paying the slightest attention to the three plants. And then, just when the nights were becoming very chilly, a small group approached the three bushes.

"If the donkey would walk just a little faster," said Thornbush, "I could steal a piece of the woman's robe."

"Isn't he the old braggart?" answered Rose. "But the man looks like he has good taste. He might – yes, I'm actually quite sure of it – he's going to pick one of my blossoms for his wife."

Rosemary didn't utter a word. What should she say? But she did sense something strange in the air. She didn't know where it was coming from, and that worried her a little.

The donkey carrying the woman and the man beside them had now come very close to the bushes. "Let's take a rest," said the woman. "Yes, a good idea," answered the man. "Donkey, stop over there by the thorn bush."

Thornbush was completely surprised by this unexpected turn of events. No one had ever dared to rest in his shadow. Now he would certainly have the chance to tear off a shred of cloth, maybe even some skin.

"Now there's a typical man for you," the bush suddenly heard the donkey scolding. "He wants to send his pregnant wife over near a thorn bush. Don't you see the thorns which are just waiting to show off their power?"

Even before Thornbush could tell the donkey to shut up, the

„Also, hast du das gehört?" zeterte die Rose.

„Unverschämtheit!" donnerte der Dornbusch, „am besten nicht beachten."

Dann war es wieder für einige Monate still an der unscheinbaren Straße, irgendwo im Heiligen Land.

Es gab während dieser Zeit keine besonderen Vorkommnisse: zwölf Soldaten, sieben Kaufleute und ein Schafhirte mit seiner Herde waren vorübergezogen, ohne auch nur die geringste Notiz von den drei Pflanzen zu nehmen. Dann, es war zu der Zeit, als die Nächte sehr kühl wurden, bewegte sich eine kleine Gruppe auf die Sträucher zu.

„Wenn der Esel ein bißchen schneller gehen würde", sagte der Dornbusch, „könnte ich seiner Herrin ein Stück ihres Tuches rauben."

„Wird er nicht, die alte Klappergestalt", erwiderte die Rose.

„Aber der Mann sieht so aus, als hätte er Geschmack. Er könnte – ja, ich bin mir ziemlich sicher, daß er es tun wird, er könnte seiner Frau eine meiner Blüten schenken."

Der Rosmarin brachte kein Wort hervor. Was hätte er auch sagen sollen. Aber er spürte ein unheimliches Knistern in der Luft – er wußte nicht, woher es kam, und das beunruhigte ihn ein wenig.

Der Esel mit der Frau und der Mann waren nun schon ganz nahe herangekommen. „Laßt uns eine Rast machen", sagte die Frau. „Ja, eine gute Idee", antwortete der Mann. „Eselin, halte dort bei dem Dornbusch."

Der Dornbusch wurde von dieser unerwarteten Wendung völlig überrascht – noch nie hatte jemand es gewagt, in seinem Schatten zu rasten. Obwohl bei dieser Gelegenheit sicher ein Kleider-, vielleicht sogar ein Hautfetzen für ihn abfallen könnte.

„Also das ist wieder einmal typisch Mann", hörte der Busch plötzlich die Eselin keifen, „will seine hochschwangere Frau in die Nähe eines Dornbusches bringen. Siehst du nicht die Stacheln, die nur darauf warten, ihre Kraft zu zeigen?"

Noch bevor der Dornbusch auf die Eselin losschimpfen konn-

woman said, "The donkey is right, Joseph. Just look at the rose bush. How beautifully it is blooming. Let's rest over there."

"Are you out of your minds?" yelled the donkey. "Do you think that this child, who is still in the womb, needs to be dazzled by superficial beauty? If you think that I have been carting you around the whole day just so I could stretch out my four legs under a rose bush, then you're mistaken."

"Look, donkey, I wasn't thinking of you," said Joseph gently. "So please stop. We'll rest here."

Rose and Thornbush were so surprised by the exchange that they didn't know what to say.

"I won't think of it," said the donkey. "Up ahead, there is just the right thing for us three – a rosemary bush. Plain, gentle, wonderful aroma, tastes good, and keeps away all the bugs."

"If you think it will get rid of your fleas, then fine, let's sit down over there. But let's just do it!" said Joseph.

The donkey trotted past Thornbush and Rosebush and stopped in front of Rosemary. Mary got off the donkey and made herself comfortable next to the bush. "You were right, donkey," Mary praised, "this bush is wonderful, and what a nice smell."

Thornbush and Rosebush were speechless. They couldn't understand what was happening to them. "Of course! Foreigners! What can you expect?" was all Thornbush could come up with. "Completely without taste or dignity, very common folks," agreed Rose. Only Rosemary remained silent. The strange vibration in the air and her own excitement almost took her breath away!

"Yes, sometimes you even have to believe donkeys," laughed Joseph and stretched out. In the meantime, the donkey was noisily eating the delicious rosemary leaves and Rosemary gladly allowed it, and was even proud of it. And when Mary said that Joseph should hang her blue cape over the bush to make more shade, the vibration in the air was almost unbearable for Rosemary ...

te, sagte die Frau: „Die Eselin hat recht, Josef, sieh doch nur den Rosenstrauch. Wie schön er blüht. Laß uns dort ausruhen."

„Seid ihr denn noch bei Trost?" schrie die Eselin. „Soll das Kind schon im Mutterleib von vergänglicher Schönheit geblendet werden? Wenn ihr glaubt, ich schleppe mich den ganzen Tag mit euch ab, um unter einem Rosenstrauch alle viere von mir zu strecken, irrt ihr euch."

„Von dir war auch nicht die Rede, Eselin", sagte Josef ruhig, „also halt an. Hier rasten wir."

Rose und Dornbusch waren von dem Wortwechsel so überrascht, daß es ihnen die Sprache verschlug.

„Ich denke nicht daran", sagte die Eselin, „dort vorne liegt das Goldrichtige für uns drei – ein Rosmarinstrauch. Bescheiden, zart, duftet herrlich, schmeckt gut, und das Ungeziefer hält er auch fern."

„Wenn du meinst, daß er deine Flöhe vertreibt, gut, dann setzen wir uns eben dort nieder. Nur tun wir es endlich!"

Die Eselin galoppierte an Dornbusch und Rosenstrauch vorbei zum Rosmarin. Maria stieg ab und machte es sich neben dem Strauch gemütlich. „Du hattest recht, Eselin", lobte Maria, „dieser Strauch ist wunderschön, und wie er duftet."

Dornbusch und Rosenstrauch waren sprachlos. Keiner konnte sein eigenes Schicksal fassen. „Na ja, Ausländer, was soll man da erwarten", fand der Dornbusch. – „Ohne Geschmack und Würde, sehr gewöhnliches Volk", pflichtete ihm die Rose bei. Nur der Rosmarin schwieg. Das Knistern in der Luft und seine Aufregung schnürten ihm fast den Atem ab.

„Ja, manchmal soll man auch Eseln glauben", lachte Josef und streckte sich der Länge nach hin. Die Eselin verschlang inzwischen schmatzend die köstlichen, festen Rosmarinblätter, und der Rosmarin ließ es sich gern gefallen, ja, er war sogar stolz darauf. Und als Maria sagte, Josef solle doch ihren blauen Mantel über den Strauch hängen, damit er mehr Schatten gebe, wurde das Knistern, das in der Luft lag, beinahe unerträglich für den Rosmarin ...

Thus they sat for nearly two hours. Mary had closed her eyes, Joseph carefully scanned the horizon for strangers, and the donkey chewed contentedly on Rosemary. "Let's go on," said Joseph, "so that we can find shelter before dark."

Mary stood up and was about to climb onto the donkey, but turned back again to pick a handful of rosemary twigs. "Our child will like it if his first scent of flowers in this world is from you, Rosemary!" She got on the donkey and the small group trotted away – on that lonely road, somewhere in the Holy Land.

Silence reigned for many days. Thornbush, Rose, and Rosemary thought a great deal and all came to the same conclusion, namely, that none of their ideas about the woman, the man, and the donkey made any sense. But for that reason they couldn't stop thinking about it. These two hours had been so different, so extraordinary, and none of them could make rhyme or reason of it.

The date which would explain everything drew ever closer. Mary and Joseph, now far from their resting place on that lonely road somewhere in the Holy Land, had found a stable. Joseph had prepared a manger. Mary had spread out straw and had taken the small rosemary twigs from her sack. "You can still smell them," she said and put the twigs down where soon would lie the child who would explain everything.

When the morning of the twenty-fifth of December broke, the sunlight entered cautiously into that first day of a new age. And there was another miracle which happened far, far away from the stable, on a lonely road somewhere in the Holy Land: during the night, flowers, as blue as the heavens, had blossomed on a bare and humble rosemary bush.

So saßen sie fast zwei Stunden, Maria hatte die Augen geschlossen, Josef suchte sorgenvoll den Horizont nach fremden Reitern ab, und die Eselin kaute zufrieden am Rosmarin. „Laßt uns weiterziehen", sagte Josef, „damit wir vor der Dunkelheit noch einen Unterschlupf finden."

Maria erhob sich, wollte schon auf die Eselin steigen, kehrte aber noch einmal um und pflückte zwei Hände voll Rosmarinzweige. „Das wird unserem Kind gefallen, wenn es dich, Rosmarin, als ersten Blumenduft auf dieser Welt riechen darf!" Sie bestieg den Esel, und dann trottete die kleine Gruppe weiter – auf der unscheinbaren Straße, irgendwo im Heiligen Land.

Viele Tage herrschte Schweigen. Dornbusch, Rose und Rosmarin dachten viel, sehr viel nach. Und alle drei kamen zu dem Schluß, daß keiner ihrer Gedanken über die Frau, den Mann und die Eselin einen Sinn ergaben. Aber gerade deshalb konnten sie nicht aufhören, darüber nachzudenken, denn diese zwei Stunden waren so anders, so außergewöhnlich gewesen – und keiner von ihnen konnte sich einen Reim darauf machen.

Das Datum, das alles erklären sollte, rückte immer näher. Maria und Josef hatten, weit von der Stelle ihrer Rast an der unscheinbaren Straße irgendwo im Heiligen Land entfernt, einen Stall gefunden. Josef hatte eine Futterkrippe bereitgestellt, Maria hatte sie mit Stroh ausgelegt und dann aus ihrem Sack die Rosmarinzweiglein geholt. „Er duftet immer noch", sagte sie und legte die Zweige dorthin, wo wenige Stunden später das Kind liegen sollte, das alles erklären würde ...

Als der Morgen des 25. Dezember anbrach, das Licht vorsichtig in den ersten Tag einer neuen Zeit lief, da war weit, weit von der Krippe entfernt, an einer unscheinbaren Straße irgendwo im Heiligen Land, noch ein Wunder geschehen: Einem nackten, bescheidenen Rosmarinstrauch waren in dieser Nacht Blüten, blau wie der Himmel, gewachsen!

A Letter to Serenity

Dear Serenity!
Around the country there is great excitement, noise, shouting – they are looking for you. Isn't that fantastic? So many people remember you, and the number grows daily. They wander through the streets, open closed doors and question the forests. They sit with the elderly and listen to stories about you.
Yes, they really are searching, but it is difficult for them to find you; too much debris and junk lie in the way. They dig with their hands – down to the bare earth. In the evening they lie exhausted in their beds and long for you. And the next morning they continue searching – excitement, noise, shouting.
And those who would replace you – in rooms where not even breathing could be heard, – they were easy to recognize.
"That is not serenity!" they cried. "That is death. Serenity must be somewhere else." And they continue searching in their memories, but their thoughts come echoing back. Nothing ...
They don't want to be alone. They fear solitude, for it lies so close to loneliness. And noise helps – has always helped, as long as they did not sense you around. Now they long for you. The number grows daily.
But it is hard to find you, because it is really difficult to know when you have been found. Is it when the music stops? When the hammers are silent? When you hear only your own heartbeat in the forest? They sense, they know this cannot be it. And so they go on across the countryside searching. Some even plug their ears, but soon realize that stillness has nothing to do with their ears.
Serenity, there is great excitement in the country! Noise, shouting – they are searching for you. They read books, pray according to formulas, meditate in groups – they sense that you would never respond to loud calling. They sense that you

Brief an die Stille

Liebe Stille!

Im Land ist große Aufregung, Lärm, Geschrei – sie suchen nach Dir. Ist das nicht herrlich? So viele erinnern sich, und täglich werden es mehr. Sie ziehen durch die Straßen, öffnen verschlossene Türen und befragen Wälder. Sie sitzen bei den Alten und lassen sich von Dir erzählen.

Ja, sie suchen wirklich, aber es fällt ihnen schwer, Dich zu finden, zu viel Schutt und Gerümpel liegen auf dem Weg. Sie graben mit bloßen Händen, sie graben bis auf den Grund der Erde. Abends liegen sie erschöpft in den Betten und sehnen sich nach Dir. Am anderen Morgen suchen sie weiter. Aufregung, Lärm, Geschrei.

Und die, die Dich ersetzen wollten – in Räumen, wo man nicht einmal den Atem hört –, die hat man schnell erkannt. „Das ist nicht Stille!" schreien sie. „Das ist tot. Stille muß was anderes sein." Und sie suchen in Erinnerungen – doch die Gedanken kommen laut zurück. Nichts gefunden ...

Sie wollen nicht allein sein. Sie fürchten sich vor dem Allein, weil es so nah beim Einsam liegt. Und laut hilft, hat immer geholfen, solange sie nichts von Dir spürten. Jetzt haben sie Sehnsucht. Täglich werden es mehr.

Doch es ist schwierig, Dich zu finden, weil man es nicht weiß, wenn man Dich gefunden hat. Wenn die Musik zu Ende ist? Wenn die Hämmer schweigen? Wenn im Wald nur noch der eigene Herzschlag zu hören ist? Sie ahnen, sie wissen, das kann es nicht sein. So ziehen sie weiter durch das Land und suchen. Manche verstopfen sich die Ohren, doch bald merken sie, es liegt nicht an den Ohren.

Stille, im Land ist große Aufregung! Lärm, Geschrei – sie suchen nach Dir. Sie lesen in Büchern, beten nach Formeln, schweigen in Gruppen – sie ahnen, daß Du Dich niemals mit lauten Rufen zu erkennen geben würdest. Sie ahnen, daß Du

are hiding somewhere and are waiting until each individual creates his own path to you. They would give anything for a sign from you. Only a sign that you exist. They hope that you exist, Serenity, but they need a little assurance. Otherwise, why continue searching? You say, "Let them go on searching. They didn't want it any other way." Yes, you are right; they had to lose you to want you. You say, "They are islands and the noise is the sea." No, Serenity, I don't believe that. They are the water, the sea, and the movement, but the goal of the rolling waves is the island. Are you not ... an island? They will seek in vain if they do not understand that the sea moves, and that everywhere it is moving toward the islands – on the liveliest squares, the loudest streets, in the wildest excitement.

They can no longer stop the noise of the world, and therefore they seek you, and you must be an island to them, Serenity, you must!

I can imagine it perfectly. They approach the shore with careful steps and then retreat back into the security of the sea. But the next wave removes their fear of exploring the island. And I see them before me, in the middle of Fifth Avenue, in Makati, on the Copacabana and in the small village streets of Choroni, finally recognizing you.

This will happen on the day when the serenity of the heart drowns out the noise of this world.

irgendwo verborgen bist und wartest, bis jeder einzelne sich einen Weg zu Dir geschaffen hat. Sie würden vieles geben, um ein Zeichen zu bekommen. Nur ein Zeichen, daß es Dich gibt. Sie hoffen, daß es Dich gibt, Stille, aber sie brauchen auch ein bißchen Gewißheit. Wozu sonst suchen? Du sagst: Laß sie ruhig suchen. Sie wollten es ja nicht anders. Ja, Du hast recht, sie mußten Dich verlieren, um Dich zu wollen. Du sagst: sie sind Inseln, und der Lärm ist das Meer. Nein, Stille, das glaub ich nicht. Sie sind das Wasser, das Meer, die Bewegung, doch das Ziel der bewegten Wellen sind die Inseln. Bist Du nicht … Insel? Sie werden vergebens suchen, wenn sie nicht sehen, daß sich das Meer bewegt, sich überall zu Inseln hin bewegt – auf den belebtesten Plätzen, den lautesten Straßen, in größter Aufregung.

Sie können den Lärm der Welt nicht mehr aufhalten, deshalb suchen sie Dich ja, und Du mußt ihnen Insel sein, Stille, Du mußt!

Ich stelle mir das wunderschön vor: sie laufen mit vorsichtigen Schritten an Land, drängen zurück, zurück ins sichere Meer. Doch schon die nächste Welle nimmt ihnen die Angst, die Insel zu befühlen. Und ich sehe sie vor mir: mitten auf der Fifth Avenue, in Makati, an der Copacabana, in der kleinen Dorfstraße von Choroni werden sie sich an die Stirn schlagen.

Das wird an dem Tag geschehen, an dem die Stille des Herzens den Lärm dieser Welt übertönt.

Horsefly

A white man was traveling across Alabama with a black farmer. An insect was buzzing around the horse's head and that of the traveler.

"Hey, man, what kinda creature is that?"

"Jus' a horsefly, boss man."

"Horsefly? What's that?"

"Jus' a fly that buzzes 'round da heads o' horses, donkeys and jackasses."

And because the insect kept humming around the traveler's ears, he saw an opportunity to pick a fight with the black man.

"Hey man, are you trying to tell me that I'm a horse?"

"No, no, boss man. You definitely ain't no horse."

"Then does that mean that you're calling me a donkey?"

The black farmer caught on and said, a little irritated, "No, wasn't claimin' that neither."

Then the white man became outraged and yelled, "Listen here, man! Look at me! Is this what a jackass looks like? I just hope you weren't calling me a jackass!"

"Nah, I ain't calling you no jackass, an' you don' look like no jackass to me – but on the other hand, boss man, it's pretty hard to fool a horsefly."

Pferdefliege

Ein weißer Reisender fuhr in Alabama mit einem schwarzen Farmer über Land. Ein Insekt umschwirrte den Kopf des Pferdes und den Kopf des Reisenden.

„He, Mann, was ist das für ein Viech?"

„Nur 'ne Pferdefliege, Boß."

„Pferdefliege? Was ist das?"

„Nur 'ne Fliege, die immer um die Köpfe von Pferden, Maultieren und Eseln herumbrummt."

Weil das Insekt weiter dem Reisenden um die Ohren surrte, sah der eine Gelegenheit, sich mit dem Schwarzen anzulegen.

„Du willst doch damit nicht etwa sagen, daß ich ein Pferd bin, Mann?"

„Nein, nein, Boß. Sie sind ganz gewiß kein Pferd!"

„Soll das heißen, daß du mich ein Maultier nennen willst?"

Der schwarze Farmer sah etwas irritiert drein: „Nein, hab ich nicht behauptet."

Darauf rief der weiße Mann aufgebracht: „Hör mal, Mann! Schau mich an. Sieht so etwa ein Esel aus? Ich hoffe, du wolltest mich nicht einen Esel nennen!"

„Nein, nenn Euch keinen Esel, und Ihr schaut auch in meinen Augen nicht wie ein Esel aus – aber andererseits, Boß ... eine Pferdefliege läßt sich nicht an der Nase herumführen."

Big Sixteen and the Devil

Once upon a time there was a black man named Zora. He lived in the South at a time when there were still slaves. The white people called him "Big Sixteen" because that was his shoe size. He was big and strong, and the old master always had him do the hardest jobs. One day the old master said, "Big Sixteen, go down to the swamp and bring back the trees that we cut."

"Yes, Massa!"

So Big Sixteen went to the swamp and loaded up the trees that were so heavy nobody else could carry them. He hauled them back home and piled them up in front of the house.

Another time the old master said, "Go out and drive home the mules. I want to count them." So Big Sixteen ran to the pasture, rounded the mules up with a lasso and tried to drive them home, but the mules were so stubborn that they broke the lasso. Then Big Sixteen grabbed the mules by their ears, packed them under his arms five at a time, and carried them home to the old master. But, all he said was, "Big Sixteen, if you can carry home all these stubborn mules, then you can do other things as well. Now I want you to catch the devil."

"Done," replied Big Sixteen. "Give me a nine-pound hammer and the biggest shovel on the plantation. Then I'll do it."

So the old master gave Big Sixteen the tools he had asked for and ordered him to get going and catch the devil.

Big Sixteen went in front of the house and began digging. He dug for nearly a month before finding what he was looking for. Then he took the hammer, climbed down into the hole, and knocked on the devil's door. The devil himself opened it. "Who is there?"

Die Große Sechzehn und der Teufel

Es war einmal ein schwarzer Mann, der hieß Zora. Er lebte im Süden zu der Zeit, als es dort noch Sklaven gab. Die Weißen nannten ihn die Große Sechzehn, weil dies seine Schuhnummer war. Er war groß und stark, und der alte Herr ließ ihn immer die schwersten Arbeiten tun. Eines Tages sagte der alte Herr: „Große Sechzehn, du gehst in den Sumpf und holst dort die Baumstämme, die wir geschlagen haben."
„Ja, Herr!"
Also ging die Große Sechzehn zum Sumpf, lud die Baumstämme auf, die so schwer waren, daß niemand sonst sie tragen konnte, schleppte sie heim und stapelte sie vor dem Haus. Ein anderesmal sprach der alte Herr: „Geh und treibe die Maultiere heim. Ich will sie zählen." Also lief die Große Sechzehn auf die Weide, fing die Maultiere mit einem Lasso ein und wollte sie heimführen, aber die Maultiere waren so störrisch, daß sie das Lasso zerrissen. Da faßte die Große Sechzehn jeweils fünf Maultiere bei den Ohren, packte sie sich unter die Arme und trug sie heim zum alten Herrn. Der aber sprach: „Große Sechzehn, wenn du all diese störrischen Maultiere heimbringen kannst, dann kannst du auch noch ganz andere Sachen. Jetzt will ich, daß du den Teufel fängst."
„Gemacht", antwortete die Große Sechzehn, „gebt mir einen Neun-Pfund-Hammer und die größte Schaufel, die sich auf der Plantage finden läßt, dann will ich's schon schaffen."
Der alte Herr gab also der Großen Sechzehn all die Werkzeuge, die sie gefordert hatte, und befahl ihr, sich nun daranzumachen, den Teufel zu fangen.
Die Große Sechzehn trat vor das Haus und begann zu graben. Sie grub nahezu einen Monat, ehe sie auf das stieß, was sie suchte. Dann nahm sie den Hammer, stieg in das Loch hinab und klopfte an des Teufels Tür. Der Teufel selbst öffnete.
„Wer ist da?"

"Big Sixteen."

"And what do you want?"

"I'd like to speak with you for a moment if you don't mind."
The devil had barely stuck his head through the door when
Big Sixteen struck him with the hammer, threw him over his
shoulder and climbed up to the old master.

He was terrified when Big Sixteen arrived with the slain devil.
He screamed at Big Sixteen, "Get that ugly monster away
from me! How could I have known that you could take on the
devil himself?"

"There just ain't no way to please the old master," mumbled
Big Sixteen, and he took the devil and threw him down into
the hole again.

Many years passed and Big Sixteen was nearing death, and
after he died, he first went to heaven. But Saint Peter, who
recognized him, told Big Sixteen to go away.

This man was simply too strong and powerful to be in heav-
en, but he had to go someplace, so he set off on his way to
hell.

Soon he arrived at the gates of hell, where the devil's children
were playing in the courtyard. When they saw him they ran
into the house and yelled, "Mama, Mama, the man who killed
Papa is outside!"

Then the devil's wife locked the gate, and when Big Sixteen
called out to her, she stuck some hot coals through the window to him and said, "You're not getting in here. Take these
hot coals and make your own hell, if you can."

And to this day, when you walk through the swampy forests
of Louisiana at night, you sometimes see Big Sixteen wandering around with a handful of hot coals looking for a place to
make his own hell.

„Die Große Sechzehn."

„Und was willst du?"

„Ich möchte dich einen Augenblick sprechen, wenn's gefällt."
Kaum aber steckte der Teufel seinen Kopf zur Tür hinaus, da
schlug ihm die Große Sechzehn mit dem Hammer auf den
Schädel, warf den Teufel über den Rücken und stieg hinauf
zum alten Herrn.

Der staunte nicht schlecht, als die Große Sechzehn mit dem
toten Teufel ankam. Er schrie die Große Sechzehn an: „Schaff
mir sofort diesen häßlichen Kerl fort! Wie hätte ich wissen sollen, daß du selbst mit dem Teufel fertig wirst!"

„Dem alten Herrn ist es eben nie recht zu machen", murmelte die Große Sechzehn, nahm den Teufel und warf ihn wieder
in das Loch hinunter.

Nach einiger Zeit kam die Große Sechzehn zum Sterben, und
als sie gestorben war, flog sie zuerst in den Himmel. Aber Petrus, der sie erkannte, sagte der Großen Sechzehn, sie solle
sich fortscheren.

Dieser Mann war einfach zu stark und zu kräftig, um in den
Himmel zu kommen. Aber irgendwohin mußte er ja wohl,
also machte er sich auf zur Hölle.

Bald langte er am Höllentor an, und dort im Hof spielten des
Teufels Kinder, die liefen eilig ins Haus und riefen: „Mama,
Mama, draußen ist der Mann, der Papa erschlagen hat!"

Da verschloß des Teufels Weib die Tür, und als die Große
Sechzehn dann bei ihr vorsprach, gab sie ihm durch das Fenster ein wenig Glut und sagte: „Hier kommst du nicht herein.
Sieh zu, daß du dir mit dieser Glut deine eigene Hölle bauen
kannst!"

Und noch heute, wenn man nachts in Louisiana durch die
Sumpfwälder geht, sieht man manchmal die Große Sechzehn,
die mit einem Häufchen glühender Kohle in der Hand umhergeht und ihre eigene Hölle sucht.

The Lawyer

The lawyer had spent his whole life trying to turn things around so that they appeared to be legal.

When he died and went to heaven, his path first led him to John the Baptist.

"My dear John," he began, "I was amazed to learn that I am the first of my profession to get to heaven. It's about time things changed a little around here. For example, how can it be that old Peter, with his record, is working as the gate-keeper? Such an important responsible position should be held by no other than you. You were, after all, always loyal to our Master. You always stuck out your neck – for the truth and nothing but the truth."

"Well, when I think about it, you're not all wrong," answered John, "but there is a problem – we all have our contracts. These are not to be touched."

The lawyer took John by the arm and said very confidentially, "My friend, contracts are there to be contested and to be broken. That's why the dear Lord created lawyers!"

"But …," – John was becoming uncertain –, "our contracts are not comparable to earthly ones."

"And who says so? Leave it to me. All you have to do is retain me for the job."

"But … where are you going to start?"

"We'll initiate proceedings. Heavenly proceedings."

The lawyer went to work immediately. He researched all the appropriate heavenly records, and soon afterwards old Peter received a registered letter delivered to the heavenly gates.

Der Anwalt

Der Anwalt hatte sich sein ganzes Leben bemüht, alle Dinge so zu drehen, daß sie ihm als Recht erschienen.

Als er nun in den Himmel auffuhr, eingelassen wurde, führte ihn sein erster Weg gleich zu Johannes dem Täufer.

„Mein lieber Johannes", begann er, „ich habe mit Erstaunen festgestellt, daß ich der erste meiner Zunft bin, der in den Himmel gekommen ist. Es wird Zeit, daß sich hier ein bißchen was ändert. Wie kommt es zum Beispiel, daß der alte Petrus, bei Gott kein unbeschriebenes Blatt, als Pförtner tätig ist. So ein verantwortungsvoller und wichtiger Posten sollte von niemand anderem als von Euch besetzt sein. Ihr wart doch unserem Herrn immer treu ergeben. Ihr habt doch Euren Kopf hingehalten – für die Wahrheit und nichts als die Wahrheit."

„Na ja, wenn ich es mir überlege, ganz unrecht habt Ihr nicht", antwortete Johannes, „aber da gibt es doch ein Problem – wir haben alle unsere Verträge. An denen ist nicht zu rütteln."

Der Anwalt hakte sich bei Johannes unter und sagte sehr vertraulich: „Mein Freund, Verträge sind dazu da, um gebrochen und angefochten zu werden. Dafür hat der liebe Gott ja die Anwälte erschaffen!"

„Aber ..." – Johannes war verunsichert – „unsere Verträge sind doch mit irdischen nicht vergleichbar."

„Na na, wer sagt denn das? Laß mich nur machen. Du mußt mir nur den Auftrag dazu erteilen."

„Aber ... wie willst du das anstellen?"

„Wir werden einen Prozeß anstrengen. Einen schönen Prozeß."

Der Anwalt begann sofort mit seiner Arbeit. Er studierte alle einschlägigen Himmelsakte, und schon bald bekam der alte Petrus einen eingeschriebenen Brief an die Himmelspforte zugestellt.

Peter did not understand much of what was written in it. The only sure thing was that someone wanted to involve him in a court case, and it was certain that things didn't look exactly promising for him.

But the heavenly gatekeeper was a clever old fox, and so, on the very next day, he sent John a written reply:

"Dear Brother John, in reference to your lawyer's letter, I would like to inform you that the accusations brought against me are completely unfounded, and have been pulled totally out of thin air. As it will be easy for me to begin the presentation of my case, I gladly accept your friendly invitation to go to trial. However, we have to be a little patient in starting. You have already found your lawyer. On the other hand, I cannot find one for myself because there is not a second one in heaven. Therefore, we must wait until another such specimen as you turns up here to represent my case."

And what has old Peter been doing ever since? Whenever a lawyer shows up at his heavenly gates, he calls out in a thunderous voice, "Off to hell with you!"

Petrus verstand nicht viel von dem, was da geschrieben stand. Sicher war nur, daß man ihm den Prozeß machen wolle, und sicher war, daß die Sache nicht gerade zum besten für ihn stand.

Aber der himmlische Türsteher war ein alter, schlauer Fuchs, und so sandte er schon am nächsten Tag dem Johannes ein Antwortschreiben:

„Lieber Bruder Johannes, bezugnehmend auf das Schreiben Deines Anwaltes möchte ich Dir mitteilen, daß die gegen mich vorgebrachten Anschuldigungen jeder Grundlage entbehren und völlig aus der Luft gegriffen sind. Da es mir ein leichtes sein wird, die Beweisführung anzutreten, will ich die freundliche Einladung zu einem Prozeß gern annehmen. Doch werden wir uns mit dem Prozeßbeginn ein wenig gedulden müssen. Du hast Deinen Anwalt ja schon gefunden, ich hingegen kann, in Ermangelung eines zweiten im Himmel, nicht auf einen zurückgreifen. So müssen wir darauf warten, bis ein solches Exemplar hier heroben auftaucht, der meine Sache vertritt."

Und was tut der alte Petrus seither? Sobald ein Anwalt vor seiner Himmelstür auftaucht, ruft er mit Donnerstimme: „In die Hölle mit dir!"

The Fox and the Rooster

A fox had been after a big fat rooster for a long time. But the fox always saw the rooster's long pointed beak, and his long sharp claws. "I'll get him yet," he thought to himself, "if not by force, then by wit."

One day, he walked casually past the chicken house, stopped in front of the rooster and said, "Noble rooster, I admire your voice and your tremendous crowing. I can even hear it when I am far away in the forest. But tell me, is it true what people say, that your crowing turns into pathetic chirping as soon as you close your eyes?"

"Ridiculous!" yelled the rooster angrily, "Who is telling such stories about me? See for yourself what a lie it is!"

And the rooster closed his eyes, and raised his head, and took a deep breath, and opened his beak, and ... *zap* ... the fox grabbed him and ran away with him.

The farmer was busy cutting wood when he saw the fox running away with the magnificent rooster in his mouth. Ax in hand, he took off after him.

Then the rooster said to the fox, "If he catches us, he'll kill us both. Yell to him that I went with you voluntarily. Quick!"

The fox, who couldn't run very fast with the heavy rooster in his mouth, saw the farmer with his ax coming closer and closer. And indeed, he called out in total desperation, "He came voluntarily. Honestly!"

In doing so, however, he had to open his mouth wide and ... the rooster jumped out and ran away!

"Better to keep quiet than to open your mouth wide," thought the fox to himself ...

"Better to keep your eyes open than to crow loudly," thought the rooster to himself ...

Fuchs und Hahn

Ein Fuchs war schon lange hinter einem großen, fetten Hahn her. Aber der Fuchs sah den langen, spitzen Schnabel, und er sah die langen, spitzen Sporen des Hahnes. „Ich kriege ihn schon", dachte er sich, „wenn nicht mit Gewalt, dann mit etwas Nachdenken."

Eines Tages spazierte er unschuldsvoll am Hühnerstall vorbei, blieb vor dem Hahn stehen und sprach: „Edler Hahn, ich bewundere Eure Stimme und Euer ungeheures Krähen. Selbst wenn ich weit weg im Wald liege, kann ich es hören. Aber sagt mir – stimmt es, was man sich erzählt: Euer Krähen verwandelt sich in ein jämmerliches Piepsen, sobald Ihr Eure Augen geschlossen habt?"

„Lächerlich", schrie der Hahn erbost, „wer erzählt solche Geschichten über mich! Seht selbst, welche Lüge das ist!"

Und der Hahn schloß die Augen und hob den Kopf und atmete tief ein und öffnete den Schnabel, und ... *zack* – hatte ihn der Fuchs gepackt und lief mit ihm davon.

Der Bauer war gerade mit Holzhacken beschäftigt, als er den Fuchs mit seinem prächtigsten Hahn im Maul davonrennen sah. Mit der Axt in der Hand jagte er ihm nach.

Da sagte der Hahn zum Fuchs: „Wenn er uns kriegt, erschlägt er uns beide. Ruf ihm zu, daß ich freiwillig mitgegangen bin!"

Der Fuchs, der mit dem schweren Hahn im Maul nicht so schnell vorwärts kam, sah den Bauern mit der Axt immer näher kommen. Und wirklich – in letzter Verzweiflung rief er: „Er ist freiwillig mitgekommen. Ehrlich!" Dazu hatte er aber sein Maul aufreißen müssen und – der Hahn war frei und lief davon!

„Besser schweigen, als den Mund weit aufzureißen", dachte sich der Fuchs ...

„Besser die Augen offen halten, als laut zu krähen", dachte sich der Hahn ...

The Robin

There was a hedge next to the cross on which they had nailed Jesus, and a small bird had built its nest in it. During the whole event he had watched the people's strange behavior. "If no one else comes to help ease his painful death," sobbed the bird, "then I will help him."

The little bird flew up to the cross, landed on Jesus' head, and tried to pull the thorns of the crown from his wounded skin. And finally, he actually succeeded, and he held a thorn in his beak. A drop of blood which had stuck to the end of the thorn fell onto the breast of the small bird.

Then Jesus said, "My little friend, you are the only one who has come to ease my pain. From this day on, you and all of your descendants will wear a red spot on your breast."

And from that day on, the little bird was called "Robin Red Breast."

Das Rotkehlchen

Neben dem Kreuz, an das man Jesus geschlagen hatte, stand eine Hecke. In diese Hecke hatte ein kleiner Vogel sein Nest gebaut. Die ganze Zeit schon hatte er das seltsame Treiben der Menschen beobachtet. „Wenn niemand kommt, ihm das Sterben zu erleichtern", seufzte der Vogel, „so will ich ihm helfen."

Der kleine Vogel flog zum Kreuz, auf Jesus' Kopf und versuchte, die Dornen aus der Krone und der verletzten Haut zu ziehen. Und wirklich – endlich war es ihm gelungen, und er hielt einen Dorn im Schnabel. Da fiel ein Blutstropfen, der sich an der Spitze gehalten hatte, auf die Brust des Tieres.

Da sagte Jesus: „Mein kleiner Freund. Du bist der einzige, der gekommen ist, meine Schmerzen zu lindern. Von heute an sollst du und alle deine Nachkommen einen roten Fleck auf der Brust tragen."

Und von diesem Tag an nannte man den kleinen Vogel Rotkehlchen ...

At the County Fair

Once, when Jesus and Peter were traveling across country, they came to a small village where there was a county fair going on – with a shooting gallery, a merry-go-round, a roller coaster and lots of cotton candy.

"Lord," said Peter, "would you mind if I had a little fun myself?"

"Go on," said Jesus.

That evening Peter tottered back to their room rather tipsy.

"Well then, Peter," asked Jesus, "did you enjoy yourself?"

"Oh yes, Lord! It was really great! And such wonderful weather, too!"

"Did anyone talk about me?"

"About you? I can't actually remember hearing your name."

The next morning Peter wanted to go to the fair again.

"Go on," said Jesus.

When the disciple returned that evening, Jesus was a little irritated.

Again Jesus asked, "Did you enjoy yourself?"

"Enjoy? It was awful. This weather put everybody in a foul mood – rain, hail, thunder and lightning. The whole day! How are you supposed to enjoy yourself?"

"Did anyone talk about me?"

"Talk? They were all yelling your name, Lord, very loudly!"

Auf dem Jahrmarkt

Als Jesus und Petrus durch die Lande zogen, kamen sie einmal in ein kleines Dorf, in dem gerade Jahrmarkt war. Mit Schießbuden und Ringelspiel, mit Geisterbahn und Zuckerwatte.

„Meister", sagte Petrus, „hättest du was dagegen, wenn ich mich 'n bißchen amüsiere?"

„Geh' nur", sagte Jesus.

Am Abend wankte Petrus ziemlich angeheitert in die Herberge. „Na, Petrus", fragte Jesus, „hast du dich amüsiert?"

„Oh, Meister! War das eine Stimmung! Und ein herrliches Wetter dazu!"

„Hat irgend jemand von mir gesprochen?"

„Von dir? Kann mich nicht erinnern, deinen Namen gehört zu haben."

Am nächsten Morgen wollte Petrus wieder zum Jahrmarkt.

„Geh' nur", sagte Jesus.

Als der Jünger am Abend heimkehrte, sah er verärgert drein. Wieder fragte Jesus: „Hast du dich amüsiert?"

„Amüsiert? Es war zum Kotzen. Dieses Wetter hat alle verdrießlich gemacht. Regen, Hagel, Donner und Blitz. Den ganzen Tag. Wie soll man sich da amüsieren?"

„Hat irgend jemand von mir gesprochen?"

„Gesprochen? Gerufen haben sie alle nach dir, Meister, laut gerufen!"

The One-Legged Chicken

"Peter," said Jesus, "I'm hungry. Please run over to Jerusalem and pick up a barbecued chicken for me!"

Peter ran and bought his master a chicken. On the way back the wonderful smell of the barbecued chicken was his only companion, and it teased his hunger. Peter stared at the crispy chicken in his hands, and he resisted for a long time – but then he finally gave in and quickly ate one of the legs.

Peter handed his Lord the chicken. He took it, but noticed at once that something was missing.

"What happened to the second leg, Peter?"

"Strange, Lord, very strange. What did happen to the second leg? I must have bought it like that. Probably all of the chickens around here have only one leg."

"Don't be silly," said Jesus, a little annoyed, "All the chickens in the whole world have two legs. I know what I'm talking about. My dad created a lot of these guys!"

But Jesus ate the chicken and said no more.

The next morning the two were walking to Jerusalem. On the way, Peter saw a few chickens standing in a small garden. They seemed to be sleeping – on one leg!

"Jesus, take a look! Didn't I tell you? They all have only one leg!"

Jesus gave Peter a pitiful look. "Just a minute," he said, and clapped his hands as loud as he could. That startled the chickens, and they ran away – on two legs!

"Well, what about your one-legged chickens now?" laughed Jesus.

"Lord, you are so clever. But you forgot one thing. If you had clapped your hands yesterday, surely the second leg would also have appeared again."

Das einbeinige Huhn

„Petrus", sagte Jesus, „ich hab' Hunger. Lauf schnell rüber nach Jerusalem und hol' mir 'n Brathähnchen!"

Petrus lief und kaufte seinem Meister ein gebratenes Huhn. Auf dem Rückweg war der herrliche Bratenduft sein Begleiter, und der rief den Hunger, und Petrus starrte auf das knusprige Hühnchen in seinen Händen, und lange widerstand er – aber dann blieb er doch stehen und verzehrte rasch ein Hühnerbein.

Petrus reichte seinem Meister das Huhn, der nahm es und bemerkte sogleich, daß da was fehlte.

„Wo ist das zweite Bein geblieben, Petrus?"

„Seltsam, Meister, wirklich seltsam. Wo ist wohl das zweite Bein geblieben? Ich muß es so bekommen haben. Wahrscheinlich haben alle Vögel in dieser Gegend nur ein Bein."

„Red keinen Blödsinn", sagte Jesus verärgert, „auf der ganzen Welt haben Hühner zwei Beine. Und ich weiß, wovon ich spreche, mein Papa hat genug davon geschaffen."

Aber – Jesus aß das Huhn und schwieg.

Am nächsten Morgen marschierten die zwei nach Jerusalem. Da sah Petrus in einem kleinen Gärtchen ein paar Hühner stehen. Sie schienen zu schlafen – auf einem Bein!

„Jesus! Schau doch nur! Hab' ich es dir nicht gesagt: die haben alle nur ein Bein!"

Jesus schaute Petrus mitleidig an. „Augenblick", sagte er und klatschte, so laut er konnte, in die Hände. Da schreckten die Hühner auf und rannten davon – auf zwei Beinen!

„Na, was ist nun mit deinen einbeinigen Hühnern?" lachte Jesus.

„Meister, du bist so klug. Aber etwas hast du nicht bedacht: hättest du gestern auch in die Hände geklatscht, wäre sicherlich auch das zweite Bein wieder erschienen ..."

Light into Darkness

The people of Bethlehem were beside themselves. In a stable not far from the gates of their city, some foreigners had made themselves at home. Between a cow and a donkey, and probably even fleas, the woman had given birth to her child. A short time later, when three other shady characters rode through town – a black man, an Arab, and one more, from God only knows where, and dressed really weird, with sacks filled with who knows what from who knows where, – it was obvious to the good people of Bethlehem what these people were after. Of course, they were curious about the foreigners! And after a few days, when shopkeepers saw shepherds and other strange looking types hanging around, heard joyous singing and hallelujahs, and inquired what was going on in the old stall – it was simply too much for the good people of Bethlehem. "Enough! Pot heads! Fanatics! Foreigners! We just don't need them!" Quickly, they decided to drive this bunch of rabble-rousers from their respectable little town. But how? Even in those days you needed some kind of appropriate ordinance. And it was not long before they dreamed one up. "Herewith let it be known that for foreigners and their associated visitors it is forbidden to have an open fire in enclosed spaces." If there were no fire, it would soon get very cold for those godless folks out there ...

Someone was sent out to nail the new ordinance onto the door of the stable. The three kings were shocked, Mary cried, Joseph cursed, and baby Jesus was hungry.

Night fell, and it was bitter cold in Bethlehem, bitter cold. It was the iciness of the people which made things so cold. The good citizens sat at home in front of their fires, but in the stable, the people and the animals huddled together in order to keep the child warm. After three days the newborn child developed a cough and a fever, and Mary said to Joseph, "We

Licht ins Dunkel

Die Leute von Bethlehem waren außer sich. Vor den Toren ihrer Stadt, in einem Stall, hatten sich Ausländer eingenistet. Zwischen einer Kuh, einem Esel – und wahrscheinlich Flöhen hatte die Frau ihr Kind zur Welt gebracht. Als kurze Zeit später auch noch drei finstere Gestalten durch den Ort ritten, ein Neger, ein Araber und einer, der weiß Gott woher kam, total ausgeflippt angezogen, gefüllte Taschen, wer weiß womit und woher, war den guten Leuten von Bethlehem sofort klar, was die hier wollten: sie fragten natürlich nach den Ausländern! Und als nach ein paar Tagen Händler fragten, was denn bei dem alten Stall los sei, Hirten und wilde Typen herumlungerten, fröhliches Singen und Halleluja zu hören waren, wurde es den guten Leuten von Bethlehem zuviel: „Genug! Haschbrüder, Sektierer, Ausländer brauchen wir bei uns nicht!" Schnell war der Beschluß gefaßt, dieses Gesindel von anständigem Boden zu vertreiben. Aber wie? Auch damals brauchte man dazu eine anständige Verordnung. Und die war bald gefunden: „Hiermit wird festgelegt, daß es Ausländern und mit diesen verkehrenden Personen verboten sei, offenes Licht in geschlossenen Räumen zu brennen."
Gäbe es kein Feuer mehr, würde es dem gottlosen Völkchen bald sehr kalt werden ...
Einer wurde hinausgeschickt, die neue Verordnung an die Stalltür zu nageln.
Die drei Könige waren schockiert, Maria weinte, Josef fluchte, und der kleine Jesus hatte Hunger.
Die Nacht brach herein. Es war bitterkalt in Bethlehem, bitterkalt. Es war die Kälte der Menschen, die so frieren machte. Die guten Leute saßen zu Hause vor ihren Feuern, und im Stall drängten sich die Menschen und das Vieh zusammen, um das Kind zu wärmen. Nach drei Tagen bekam das Neugeborene einen Husten und Fieber, und Maria sagte zu Josef: „Wir

have to move on, otherwise he will surely die," but she also knew that out there in that cold-heartedness her child would not stand a chance.

On the fourth day, darkness arrived earlier than usual and it was colder than ever before. Snow fell, even in Bethlehem. And the good people sat at home in front of their fires, but in spite of that, they did not become warm. In the stable, the people and the animals huddled together in order to bear the coldness of this world, and outside the wind howled, shaking and tearing at the door of the stable as if it also wanted to spread nothing but cold and ice over these people. Then it succeeded. The door flew open with a loud crash and ... suddenly, an incredible light filled the room, and the wind crept into the stable and nestled warmly around the people. They hardly dared to breathe as they stared toward the door. An angel was standing there. A mighty, wonderful angel whose glance alone made everything warm, very warm.

The light could be seen all the way to Bethlehem, and it gave the good people a chance to give free rein to their icy cold-heartedness. "The foreigners have violated the ordinance. If they have a fire, expel them, drive them away!"

The whole horde marched out into the cold night, their pitch-forks and torches ready to drive them out. They pushed their way through the door of the stable and were paralyzed: like an island in the stormy sea, like an incredibly high mountain on the far plain, like light into darkness – so lay the child before them in the manger.

"You bring us your light," said Joseph, "how nice of you, thank you, but we no longer need it. But please come closer, come!" And as they approached, the light darted from one to the other, to all the people of Bethlehem and from there to the whole world – until all the darkness disappeared and was immersed in pure light ...

müssen weiterziehen, sonst stirbt er uns noch" – aber sie wußte, dort draußen bei den kalten Herzen hatte das Kind überhaupt keine Chance.

Am vierten Tag kam das Dunkel noch früher als sonst, es war
kalt wie nie zuvor, es fiel sogar Schnee in Bethlehem. Und die
guten Leute saßen zu Hause vor ihren Feuern, und es wollte
ihnen trotzdem nicht warm werden. Im Stall drängten sich die
Menschen und das Vieh zusammen, um die Kälte dieser Welt
zu ertragen, und draußen heulte der Wind, und er rüttelte und
zerrte an der Stalltür, als wolle auch er nichts als Eis und Kälte über die Menschen leeren. Da hatte er es geschafft, die Tür
flog mit einem gewaltigen Krachen auf, und ... ein unbeschreibliches Licht erfüllte plötzlich den Raum, und der Wind,
der nun in den Stall geschlichen kam, schmiegte sich zärtlich
und warm um die Menschen. Kaum wagte einer zu atmen, so
gebannt starrten sie zur Tür, in der ein Engel stand. Ein mächtiger, wunderschöner Engel – allein sein Anblick ließ es warm,
sehr warm werden.

Das Licht war bis nach Bethlehem zu sehen, und nun konnten
die guten Leute der Eiseskälte ihrer Herzen endlich freien Lauf
lassen: „Die Ausländer haben die Verordnung gebrochen!
Brennt sie, verjagt sie, fort mit ihnen!"

Die ganze Horde zog hinaus, durch die eiskalte Nacht, die
Mistgabeln und Fackeln bereit zum Vertreiben. Sie traten die
Stalltür ein und erstarrten: wie eine Insel im stürmischen
Meer, wie ein unendlich hoher Berg in weiter Ebene, wie ein
Licht im Dunkeln – so lag das Kind vor ihnen in der Krippe.

„Ihr bringt uns euer Licht", sagte Josef, „nett von euch, danke, aber wir brauchen es nicht mehr. Doch kommt ruhig näher, kommt!" Und wie sie näher traten, lief das Licht los – von
einem zum anderen, zu allen Leuten von Bethlehem und von
dort um die ganze Welt – bis alles Dunkel verschwunden und
in helles Licht getaucht war ...

Love like Salt

Once upon a time there was a king. He had three daughters, and was always very bored. One afternoon he thought up a little game. He called for his three daughters and had each one tell him how much she loved him. Nice little game – heh heh.

The oldest daughter thought for a while and said to herself, "If the old man thinks up such a dumb game, I know what he has in mind; therefore, I'll flatter him. And she said, "Father, I love you as I do the sun which brings warmth and makes everything on earth grow!"

"Very good, my child," said the king, and he gave her a little treasure chest – probably filled with gold and jewels or with … – Well, no one ever really found out …

Then it was the second daughter's turn, and because she too was interested in having a little treasure chest, she said without hesitation, "I, Father, love you as I do my own eyesight! What would life be, not being able to see the beautiful things of the world, and what would life be without you!"

"That's just what I thought," laughed the king, and tossed a little bag, filled to the brim, into her lap. Probably with some kind of treasure … but no one ever found out.

The third daughter answered without much reflection, but from the bottom of her heart, "I love you as I do the salt of the sea!"

"What?" shouted the king, "You love me like salt? No more than ordinary salt? You ungrateful creature!" And he chased his youngest daughter out of the castle.

Soon afterwards, a royal feast was held.

That provided just the right opportunity for the youngest daughter to sneak into the castle to take a little revenge and to teach her father a lesson.

Liebe wie Salz

Es war einmal ein König. Der hatte drei Töchter. Und jede Menge Langeweile. Eines Nachmittags dachte er sich ein hübsches Spielchen aus. Er ließ seine drei Mädels kommen, und eine jede von ihnen mußte dem Vater sagen, wie lieb sie ihn hätte. Hübsches Spielchen – haha.

Die Älteste überlegte und dachte – wenn der Alte sich solche blöden Sachen ausdenkt, bezweckt er was damit. Ich werde ihm also schmeicheln müssen – und sie sagte: „Vater, ich liebe dich wie die Sonne! Sie wärmt und läßt alles auf Erden wachsen."

„Gutes Kind", sagte der König und schob ihr 'ne Schatzkiste hin – wohlgefüllt mit Edelsteinen oder Gold oder mit … – man hat es nie erfahren.

Nun war die zweite Tochter an der Reihe, und da sie ebenfalls an einem Trühchen interessiert war, sagte sie ohne Umschweife: „Ich, Vater, liebe dich wie mein Augenlicht! Was wäre es für ein Leben, die Schönheiten der Welt nicht sehen zu können, und was wäre das Leben ohne dich!"

„So hab' ich's mir vorgestellt", lachte der König und warf der mittleren Tochter einen prall gefüllten Säckel in den Schoß. Wohlgefüllt mit irgendwelchen Schätzen, aber davon hat man nie etwas erfahren.

Die dritte Tochter antwortete ohne lange nachzudenken, dafür aus tiefstem Herzen: „Ich liebe dich wie das Salz des Meeres!"

„Wie bitte?" schrie der König, „du liebst mich wie Salz? Nicht mehr als gewöhnliches Salz? Undankbares Geschöpf!" – Und er jagte seine jüngste Tochter aus dem Schloß.

Bald darauf wurde am Hof ein königliches Fest gefeiert.

Das war die rechte Gelegenheit für die jüngste Tochter, sich ins Schloß zu schleichen, um ein bißchen Rache zu nehmen und dem Vater eine Lektion zu erteilen.

(Since leaving she had lived in a hut with a poor shepherd.)

The young princess slipped into some servant's clothes and ran straight into the kitchen. "Dear cook," she said, "you have to help me."

"Who are you, young man? I've never seen you here before!"

"Don't you recognize me? It's me, the princess, the one the king chased away!"

"Good Lord Almighty, it's *you*?"

"Yes. Now listen to my plan ... "

The soup is served. Everyone eats; everyone looks a bit perplexed, even the king, but he controls himself.

The main course is served – clinking knives and forks. Everyone looks a bit perplexed, even the king, but then he roars, "What kind of food are you serving us, anyway? It tastes like nothing, sort of like bleached socks. Bring me the cook, immediately!"

The old cook came and stood trembling and speechless before the king. Suddenly the young servant stepped up and said, "My king, I gave the order to the cook not to salt the food."

The king turned red as a beet and nearly exploded with anger. "Are you out of your mind? Who are you to be giving orders? And who are you in the first place?"

The servant boy took off the servant's cap and smiled. "It's me, your daughter. I only wanted to show you how important and indispensable salt is."

Then the king realized his mistake and asked his youngest daughter to forgive him.

(And because from then on she was his favorite, he had nothing against her marrying the poor shepherd.)

(Die Tage zuvor hatte sie mit einem mittellosen Schäfer in dessen Hütte verbracht.)

Die junge Prinzessin schlüpfte in die Kleider eines Kammerdieners und lief schnurstracks in die Küche. „Liebe Köchin", sagte sie, „Ihr müßt mir helfen."

„Junger Mann, wer bist du denn? Hab dich noch nie gesehen hier!"

„Erkennst du mich nicht – ich bin's doch, die Prinzessin, die der König davongejagt hat!"

„Jesus und alle Heiligen, *Ihr?*"

„Ja. Nun höre meinen Plan ..."

Die Suppe wird aufgetragen. Alles löffelt, alles schaut etwas verwirrt, auch der König – aber er beherrscht sich.

Die Hauptspeise wird aufgetragen. Alles gabelt und messert, alles schaut etwas verwirrt, auch der König – bis er brüllt: „Was ist das für ein Essen, das man uns hier vorsetzt?! Es schmeckt nach nichts. Wie eingeschlafene Hermelinsocken. Man bringe mir sofort die Köchin!"

Die gute Alte kam und stand zitternd und sprachlos vor dem König. Da trat plötzlich ein junger Kammerdiener vor und sprach: „Mein König, ich habe der Köchin den Befehl gegeben, die Speisen nicht zu salzen."

Der König lief apfelrot an und explodierte: „Bist du von Sinnen? Wie kommst du dazu, Befehle zu geben. Wer bist du überhaupt?"

Da zog der Kammerdiener seine Kammerdienermütze vom Kopf und lächelte: „Ich bin's, deine Tochter. Ich wollte dir nur zeigen, wie wichtig und unentbehrlich Salz ist."

Da sah der König sein Unrecht ein und bat seine jüngste Tochter, ihm zu verzeihen.

(Und da sie von nun an sein Liebling war, hatte er auch nichts gegen die Heirat mit dem mittellosen Schäfer einzuwenden ...)

God's Trees

God sat in His heavenly laboratory, working intensively on his favorite project, "Earth."

Water had already been created, as well as the sun and the moon. There was also a lot of green stuff and even a few animals trampling about.

In addition to the really serious things, the dear lord also found time for some little games, which he didn't take very seriously at all.

"If I wanted to see myself down there," he thought in his eternal modesty, "what would I have to create?"

Goodness, honesty, generosity, love and much more occurred to him.

"But I can't simply have these things rain down on earth," he mumbled to himself, and since he just happened to be forming a colorful ball of clay, he had an idea. For each of his characteristics he would create a fruit and for each its own tree.

And so, there was on earth a tree of goodness, one of generosity, of humility, a tree of love and one of truth – oh yes, there were soon many more trees which God had created in his eternal modesty ...

But from the very beginning there was a principle in the heavenly laboratory that everything in creation must also have its counterpart.

"Confound it," the old gentleman thought to himself, "I was a little careless and too much in a hurry." He had no choice but to also create a tree of envy and jealousy, a tree of hate and of lies, a tree of egoism and one of meanness, a tree ...

"Good heavens," he complained, "will it never end, am I really so good that I also have to plant so much badness on earth?"

Gottes Bäume

In seinem Himmelslabor saß Gott und werkte unentwegt an seinem Lieblingsprojekt „Erde".

Das Wasser war schon erschaffen, Sonne und Mond ebenfalls. Grünzeug gab es, und sogar ein paar Tiere stapften bereits durch die Gegend.

Neben den wirklich ernsthaften Dingen fand der liebe Gott immer noch Zeit für Spielchen, denen er eigentlich keine allzu große Bedeutung zumaß.

Würde ich mich selbst dort unten sehen wollen, dachte er in seiner unermeßlichen Bescheidenheit, was müßte ich dann schaffen?

Güte, Ehrlichkeit, Großmut, Liebe und noch vieles mehr fielen ihm dabei ein.

Aber ich kann diese Dinge ja nicht einfach hinunterregnen lassen, murmelte er vor sich hin, und da er in seiner Hand gerade bunte Kügelchen formte, hatte er eine Idee: Für jede seiner Eigenschaften schuf er eine Frucht und einen dazugehörigen Baum.

So gab es also auf der Erde einen Baum der Güte, einen der Großmut und der Demut, einen Baum der Liebe und einen der Wahrheit – o ja, es gab bald sehr viele solcher Bäume, die Gott in seiner unermeßlichen Bescheidenheit geschaffen hatte ...

Aber da gab es in seinem Himmelslabor von Anbeginn seiner Arbeit an das Prinzip, daß alles Geschaffene auch ein Gegenstück haben sollte.

Verflixt, dachte sich der alte Herr, jetzt war ich aber ein bißchen voreilig und unüberlegt. Und es blieb ihm nichts anderes übrig, als auch einen Baum der Mißgunst und des Neides, einen Baum des Hasses und der Lüge, einen Baum des Egoismus und einen der Niedertracht, einen Baum der ... – Himmel noch mal, schimpfte er, hört das denn gar nicht auf, bin ich wirklich so gut, daß ich auch soviel Schlechtes auf die Erde pflanzen muß?

A little angered at such a stupid mistake, which is what always happens when you fool around in the middle of serious work, God looked at his plan, on which the creation of mankind was next on the list. "That too," he complained, and went to work.

His mood improved drastically, however, because the results were really nice to look at. They had become quite attractive, these humans.

"Listen well, you humans," spoke God very seriously to the little creatures, "There are many fruit trees where I have just put you. I actually made a little mistake, and you have to be very careful. Well then, you are permitted to eat the round-shaped fruit with the yellow dots, also the egg-shaped ones with red circles. Also elongated ones which are violet, orange and green and hard ones with small protrusions. And also those, which ..."

The list included 237 fruits and ended with a small black fruit with tiny yellow spots all around the stem.

"But under no circumstances are you permitted to eat the little black fruit with the tiny orange colored dots around the stem, or those round-shaped ones with red circles. Also the egg-shaped ones with green dots, and never eat the fruit with ..."

And there followed another 237 fruits that had characteristics, which God had to create because of that dratted principle of duality.

So, these poor little humans were helplessly confused, even before they arrived in the huge world. And anybody can imagine what happened when they stood there in front of those 474 trees!

When God saw how his humans wandered aimlessly among the good and the bad fruit trees, in despair because they couldn't differentiate between one and the other, he had no

Ziemlich verärgert wegen dieser dummen Fehler, die eben passieren, wenn man sich während ernsthafter Arbeit dem Spielen hingibt, schaute Gott auf seinen Plan, wo als nächstes die Schöpfung eines „Menschen" auf der Liste stand. Auch das noch, jammerte er und machte sich an die Arbeit.

Seine Stimmung besserte sich rasch, denn das Ergebnis konnte sich wirklich sehen lassen – richtig hübsch war er geworden, der Mensch.

„Hör gut zu, du Mensch", sprach Gott sehr ernsthaft zu dem Winzling, „dort, wo ich dich jetzt gleich hinsetze, gibt es viele Bäume mit Früchten. Mir ist da ein kleiner Fehler unterlaufen, deshalb mußt du jetzt genau aufpassen. Also: Du darfst nur und ausschließlich von den Früchten mit den gelben Punkten und der Kugelform essen, ebenso von solchen mit roten Kugeln und Eierform. Auch von länglichen in Violett, Orange und Grün und von festen, die kleine Ausbuchtungen haben. Und dann noch von solchen, die ..."

Die Liste umfaßte 237 Früchte und endete mit einer kleinen schwarzen Frucht mit winzigen gelben Tupfen rund um den Stengel.

„Unter keinen Umständen darfst du jedoch von kleinen schwarzen Früchten mit winzigen orangefarbenen Punkten rund um den Stengel und von solchen mit roten Kugeln in Rundform kosten. Auch nicht von eiförmigen mit grünen Punkten und niemals von den Früchten mit ..." Und es folgten nochmals 237 Früchte, die alle die Eigenschaften in sich trugen, die Gott nur wegen dieses dämlichen Dualitätsprinzips hatte erschaffen müssen.

So war das arme Menschlein, schon bevor es auf die riesige Welt gesetzt wurde, heillos verwirrt. Und jeder kann sich vorstellen, wie es ihm erging, als es dann vor den 474 Bäumen stand!

Als Gott sah, wie sein Mensch zwischen den guten und den schlechten Früchten umherirrte, verzweifelt, weil er nicht mehr die einen von den anderen unterscheiden konnte, blieb ihm nichts anderes übrig (vor allem um den bereits angerich-

choice (mostly to contain the damage he had caused) but to direct them in God's name to eat of all the fruits.

And he warned the humans for heaven's sake to pay attention to which fruits were sweet and which were bitter, and to eat regularly more of the sweet ones, and less frequently of the bitter ones. But even then God sensed that it would never work...

teten Schaden in Grenzen zu halten), als die Weisung zu erteilen, in Gottes Namen von allen Früchten zu kosten.

Und er ermahnte den Menschen, um Himmels willen darauf zu achten, welche Früchte süß und welche bitter schmecken, um von den süßen mehr und öfter und von den bitteren weniger und selten zu essen. Aber Gott ahnte damals schon, daß das niemals funktionieren würde ...

An Old Story

Nobody knew him. No one knew who he was. He just arrived one day, and the people thought that one day he would probably go away again. He didn't say much. He just observed everybody very carefully.

Winter came. It made its bed with snow-white sheets. Then all the business people knew it was time to stuff their stores with tons of all kinds of thingamabobs. It *smelled* like Christmas.
The man said, "It should be Christmas every day."
And the business people were excited. "Bravo, a good person. He loves to give presents!"
And the poor were sad; 365 empty gift boxes.
And the children rejoiced. "I wish for this and that and those and everything."
And the turkeys and the pigs and the firs groaned, "Oh no, please not that again!"
"No, no," said the man, "you misunderstood me. I didn't mean the Christmas of presents and the festival of eating, but rather the Christmas of humanity." One person asked, "What do you mean – Christmas of humanity?" And another said, "Something like – love your neighbor – and all that?"
And a third laughed, "Or are you even going to come up with – peace?"
And the people said, "What does this guy want? Who is he? Why does he ask questions? He should go away so that we can celebrate our holiday in peace!"
The man went away without a word.

When Spring had unpacked its colors and had painted the countryside with a fine brush, the man arrived in the city of the rich.

Eine alte Geschichte

Niemand kannte ihn. Man wußte nicht, wer er war. Er war eines Tages gekommen, und die Leute dachten, eines Tages werde er wohl auch wieder gehen. Er sagte nicht viel. Er sah sich alle Menschen nur genau an.

Winter kam. Machte sich überall sein Bett mit schneeweißem Leintuch. Da wußten die Kaufleute: Jetzt heißt es tonnenweise Dingsda in die Läden stopfen. Es *riecht* nach Weihnacht.
Der Mann sagte: „An jedem Tag sollte Weihnachten sein."
Und die Kaufleute riefen begeistert: „Bravo, ein guter Mann. Er liebt es, zu schenken!"
Und die Armen waren traurig: „365 leere Gabentische."
Und die Kinder jubelten: „Ich wünsche mir das und jenes und dieses und alles."
Und die Truthähne und Karpfen und Tannen ächzten: „Oje, oje, nur das nicht!"
„Nein, nein", sagte der Mann, „ihr habt mich falsch verstanden. Ich meinte nicht das Weihnachten der Geschenke, das Fest des Essens. Ich dachte eher an das Weihnachten der Menschen."
Einer fragte: „Was meinst du mit – Weihnachten der Menschen?" Und ein anderer: „Etwa liebe deinen Nächsten oder so?" Und ein dritter lachte: „Oder willst du uns gar mit Frieden kommen?"
Und die Leute sagten: „Was will der Mann? Wer ist er? Warum fragt er? Er soll gehen, damit wir unser Fest friedlich feiern können!"
Der Mann ging ohne ein Wort.

Als der Frühling seine Farben ausgepackt hatte und mit feinem Pinsel über die Landleinwand strich, kam der Mann in die Stadt der Reichen.

Streets of gold, houses of marble, splendor, glitter, silk. Fat bellies, contented laughter.

Stingy hands that wanted to give nothing. Proud eyes that couldn't venture a look around. And court jesters for their ears, beautiful women for their eyes, mountains of food for their mouths.

And because the rich would not be so rich were it not for the poor, they also existed in this city. One just didn't see them. They were not fit for the streets of gold – with their hungry looks.

The rich were used to receiving presents from strangers. The man had only brought his smile.

"That's supposed to be a present? You probably want to insult us!"

The man didn't say much. He took the bread from one of the fatsos, broke it, gave it to the poor and said, "You call yourselves the 'city of the rich', but I also see many poor people here who don't even have enough to eat."

And they answered, "Is that supposed to be our fault? They are poor and will remain so. What good is *one* piece of bread? None at all. If we always helped them, then they wouldn't be poor any more. And if they weren't poor, we wouldn't be rich. And anyway, what business is that of yours? We have no use for troublemakers. We have a nice happy city, and we know exactly how to keep it that way!"

Summer. A lot of work for the sun. And it began with chasing away the clouds and calming the winds. And it showed the man his way into the city of the beautiful.

"Hurray, at last a stranger who doesn't already know our beauty. Welcome, and come, come closer, and feel free to admire us."

And they turned and showed off. Put on their nicest clothes, decorated themselves with precious stones and feathers.

When the man exclaimed neither, "Oh, how beautiful," nor, "How unique!" the beautiful became angry, threw their jew-

Straßen aus Gold, Häuser aus Marmor, Prunk, Glanz, Seide. Dicke Bäuche, zufriedenes Lachen.

Geizige Hände, die nichts geben wollten. Hochmütige Augen, die keine Blicke wagten. Und Hofnarren für die Ohren, schöne Frauen für die Augen, Berge von Fressen für den Mund.

Und weil die Reichen ohne die Armen nicht so reich wären, gab es auch die in dieser Stadt. Man sah sie nur nicht. Sie paßten nicht auf die goldenen Straßen. Mit ihren hungrigen Blicken.

Die Reichen waren es gewöhnt, von Fremden Geschenke zu erhalten. Der Mann hatte nur ein Lächeln mitgebracht.

„Das soll ein Geschenk sein? Du willst uns wohl beleidigen!"

Der Mann sagte nicht viel. Er nahm einem Dickbauch das Brot aus der Hand, brach es, gab es den Armen und sagte: „Ihr nennt euch die ‚Stadt der Reichen'. Aber ich sehe hier auch viele Arme, die nicht einmal genug zu essen haben."

Und sie antworteten darauf: „Ist das vielleicht unsere Schuld? Sie sind arm und werden es auch bleiben. Was nützt da *ein* Stück Brot? Gar nichts. Helfen wir ihnen immer, so werden sie bald gar nicht mehr arm sein. Und wären sie nicht arm, wären wir nicht reich. Und überhaupt, was geht dich das an? Unruhestifter haben bei uns nichts zu suchen. Wir sind eine fröhliche, glückliche Stadt und wissen genau, was wir zu tun haben."

Sommer. Gab der Sonne viel Arbeit. Und ging auch gleich daran, den Wind zu besänftigen und die Wolken zu verjagen. Und zeigte dem Mann den Weg in die Stadt der Schönen.

„Hurra, endlich ein Fremder, der unsere Schönheit noch nicht kennt. Komm, komm näher, sei willkommen, du darfst uns gern bewundern."

Und sie drehten und zeigten sich. Zogen ihre schönsten Kleider an, schmückten sich mit Edelsteinen und Federn.

Als der Mann aber weder „Oh, wie schön" noch „Nein, das ist einzigartig!" rief, wurden die Schönen böse. Warfen ihren

elry away, took off their velvet and silk, and removed the masks from their faces.

"Do you have nothing to say about our beauty? We tolerate no one in our city who does not wish to see how beautiful we are!"

Then the man saw a group of people standing in a dark corner. In rags and with ruffled hair. He asked quietly, "Who are those people you have hidden?"

The beautiful were horrified. "He discovered them, how embarrassing ... They are our mirrors, in which we see how beautiful we are. Leave these ugly characters alone."

And they put on their most beautiful smiles, because they had again seen how beautiful they were.

The man left them standing and went to the people in the darkness.

The gleam in their eyes made them beautiful.

And the beautiful nearly collapsed in anger, because they had not yet succeeded in acquiring that gleam in their own eyes.

The man left, and with him the summer.

A fleet of cloud-ships occupied the heavens of fall. As if from cannons it thundered lightning, and the rain washed the green into brown. And it drove the man into a city, the city of the intelligent. Right away, they spoke to him in Latin, "Now, hospes, what did you study and how many thousands of books have you read? How many languages do you speak and what is the logarithm of 49? And ... quid agis nunc? Dic!"

The man said, "I have studied humans, what they think and how they are. And I have smelled the flowers, admired the sunrise, and eaten apples in order to know what an apple is. I have read no books. I couldn't imagine what there might be to learn from them that I couldn't see with my own eyes. I understand the language of love, the language of empathy and the language of nature. And as far as the logarithm of 49 is concerned, I don't know it, but would be glad to learn, if it is important to humanity."

Schmuck weg, zogen Samt und Seide aus und rissen sich die Masken vom Gesicht.

„Hast du nichts zu unserer Schönheit zu sagen? Wir dulden niemanden in unserer Stadt, der nicht sehen will, wie schön wir sind!"

Da sah der Mann eine Gruppe von Menschen, die im Dunkeln stand. In Lumpen, mit wilden Haaren. Er fragte leise: „Wer sind die, die ihr versteckt?"

Die Schönen erschraken: „Er hat sie entdeckt! Wie peinlich … Das sind unsere Spiegel, in denen wir sehen, wie schön wir sind. Laß diese häßlichen Figuren."

Und sie setzten ihr schönstes Lachen auf, hatten sie doch gesehen, wie schön sie waren.

Der Mann ließ sie stehen und ging zu den Leuten im Dunkeln. Das Strahlen in ihren Augen machte sie schön.

Und die Schönen platzten fast vor Wut, weil sie es noch nie geschafft hatten, dieses Leuchten in ihre Augen zu bekommen.

Der Mann ging und mit ihm der Sommer.

Eine Flotte von Wolkenschiffen besetzte den Himmel des Herbstes. Wie aus Kanonen donnerten Blitze, und der Regen wusch das Grün zu Braun. Trieb den Mann zu einer Stadt, der Stadt der Gescheiten. Die sprachen ihn gleich lateinisch an: „Nun, hospes, was hast du studiert, und wieviel tausend Bücher hast du gelesen? Wie viele Sprachen sprichst du, und was ist der Logarithmus von 49? Und … quid agis nunc? Dic!"

Der Mann sagte: „Ich habe die Menschen studiert. Was sie denken, und wie sie sind. Und ich habe an Blumen gerochen und Sonnenaufgänge bewundert und habe Äpfel gegessen, um zu wissen, was ein Apfel ist. Ich habe kein Buch gelesen. Ich wüßte auch nicht, was es darin zu lesen gäbe, was ich nicht auch mit meinen Augen sehen könnte. Ich verstehe die Sprache der Liebe, die Sprache des Mitleides und die Sprache der Natur. Und was den Logarithmus von 49 angeht, den kenn ich nicht, aber ich will gern danach forschen, wenn er für die Menschen wichtig ist."

"Cher ami, you eschew us, you lecture us as do our buffoons and we find it distinctly distasteful."

The intelligent did not want to squander even more time on this strange man, and still had 40,000 more books to read, had to watch some TV and listen to some radio and some lectures.

"Where are your – buffoons?" asked the man. "Don't know," they called back, "probably they're talking about love somewhere, or drinking water from the well, or running through the forests or marching for peace. Or they are whittling crutches for the lame, building bridges between shores, or exploring the world. As we said – Buffoons! Salve!"

The year had become tired and it lay down in the snow-white bed of winter. The snow had also arrived in the city of children, and with it, the man.

What a joy it was to see him. And they gave him their love and gave him what they had.

"I'm going to tell you a story," said the man, "my story. It begins a long, long time ago. A stable, a manger, a child. Even kings came. And a shooting star…"

„Cher ami, du echauffierst uns. Du dozierst wie unsere fools, und daran können wir uns gar nicht delektieren."

Die Gescheiten wollten nicht noch mehr Zeit für diesen komischen Mann verplempern, hatten sie doch immerhin noch 40 000 Bücher zu lesen, fernzusehen, Radio und Vorträge zu hören.

„Wo sind eure – Narren?" fragte der Mann. „Wissen wir nicht!" riefen sie ihm zu. „Wahrscheinlich reden sie irgendwo von Liebe, trinken Wasser aus Quellen, laufen durch Wälder oder marschieren für den Frieden. Oder sie zimmern Krücken für Gelähmte, bauen Brücken zwischen Ufern, führen Blinde durch die Welt. Wie gesagt – Narren! Salve!"

Das Jahr war müde geworden und legte sich in das schneeweiße Bett des Winters. Auch in die Stadt der Kinder war der Schnee gekommen und mit ihm der Mann.

Welch eine Freude war es, als sie ihn sahen. Und sie schenkten ihm ihre Liebe und gaben ihm, was sie hatten.

„Ich erzähle euch eine Geschichte", sagte der Mann, „meine Geschichte. Sie beginnt vor langer, langer Zeit. Ein Stall, eine Krippe, ein Kind. Sogar Könige kamen. Und eine Sternschnuppe ..."

Peace

Dear Friend!
I have a visitor. Peace is here. You know him. Well, he is having a bad time. The fight with his family concerns him very much. He loves them, and they probably love him too, but they just don't understand him. They look at him as someone they can just pull out of the drawer to show off when they have visitors. They talk about him in his presence, as if he weren't there at all. The parents hold his brothers up to him as examples, if they were better, more clever, more capable than he. It's because they flatter them, bring them presents they have bought.
Peace is different. He is quiet, looks on as the others talk loudly, and is silent. On the other hand, his brothers make fun of him, beat him up and throw him out of the house. Then he just sits at a friend's place – he has many friends – sits in front of the window and looks out. Over to where his family lives. He knows that his place is with his family; he yearns to be with them … but they don't understand him, not at all.
Now he is sitting here with me, restless, wants to leave, watching the comings and goings in the street in the hope that someone will come and pick him up. In the hustle and bustle he often hears his name being called. But no one comes.
And he sits here and thinks. At home, my brothers and the whole bunch, what are they doing about now? And he knows that when over there where his family lives the window panes clatter, the clocks stop, the footsteps become faster, then shorter, and multiply, then they will call out for him to return after all.
He knows this. They would prepare a celebration to welcome him. The next morning, the big clean up with new brooms. Away with the broken glass, the empty bottles, all the trash! "No, Peace, you shouldn't work, not today!"

Friede

Liebes Pünktchen!
Ich habe Besuch. Friede ist da. Du kennst ihn ja. Es geht ihm
gar nicht gut. Der Streit mit seiner Familie macht ihm sehr zu
schaffen. Er liebt sie, sie lieben ihn wahrscheinlich auch, doch
sie verstehen ihn nicht. Betrachten ihn wie einen, den man aus
der Lade holt, zum Vorzeigen, wenn Besuch da ist. In seiner
Gegenwart reden sie von ihm, als wäre er gar nicht da. Die Eltern halten ihm die Brüder vor, die wären besser, klüger, tüch-
tiger als er. Ja, weil sie den Eltern schmeicheln, ihnen Geschenke bringen, die sie kaufen.
Friede ist anders. Er ist still, sieht den anderen beim lauten Reden zu und schweigt. Die Brüder jedoch verlachen, verprügeln
ihn, werfen ihn aus dem Haus. Dann sitzt er bei den Freun-
den, er hat viele Freunde, sitzt vor dem Fenster und schaut
hinaus. Hinüber, wo die Familie wohnt.
Er weiß, sein Platz ist die Familie, er sehnt sich nach ihr …
doch sie verstehen ihn nicht, verstehen ihn nicht.
Nun sitzt er hier bei mir, ist unruhig, will fort, verfolgt das
Treiben auf der Straße, ob nicht doch einer kommt, ihn abzuholen. Dazwischen hört er immer wieder seinen Namen rufen.
Doch keiner kommt.
Und er sitzt hier und denkt: Zu Hause, die Brüder und die
ganze Bande, was werden sie inzwischen machen? Und er
weiß, wenn dort drüben, wo die Familie wohnt, die Scheiben
klirren, die Uhren stillstehen, die Schritte schneller, kürzer
werden, sich vermehren: dann werden sie nach ihm rufen.
Werden ihn suchen, werden rufen, er solle doch wiederkommen.
Das kennt er. Ein Fest würden sie ihm geben zu seiner Begrüßung. Am nächsten Morgen mit neuen Besen Großreinema-
chen. Fort die Scherben, die leeren Flaschen, der ganze Abfall!
„Nein, Friede, du sollst doch nicht arbeiten, nicht heute!"

And they will come to sweep just where Peace is standing.

He will say, "People, I'm here. After all, you called for me!"

They will say, "Yes, yes, but don't stand in our way!"

And when the celebration is forgotten, Peace will be gone again.

He knows this!

He can remember all too well. But in spite of it, he *must* go over there. Even if they make him stand in the corner and only show him off to visitors. Then in the corner again, no longer noticed. He gets his meals. But not even that when the caviar is served. Right now, he's just there, belongs to the household like the radio or the cupboard. With time they become satiated. They no longer even see him; they hang their jackets over his head and clean their shoes on his pantlegs.

If one of them comes and asks, "Is Peace here?" they will say, "Sure, of course, he's right in there!" and will point to an empty corner, where the president's picture is hanging.

At some point, he left.

Now he is sitting here with me. He is not at all well. He stands for long periods before the window and looks out. Over there is his family. He loves them, and they probably love him too. But they don't understand him. Don't understand when he brings them a blade of grass. They ask, "Where is the meadow?"

He is nervous, wants to go over to his parents, knows the brothers are at home breaking everything. He knows that the game is starting anew: parties, new brooms for the broken glass, and a loud call to the son.

He stands at the window, looks over to where the family lives. Peace is here. For how long I do not know. If you would like, friend, come on by! He is very happy when visitors come.

Your Fairy Tale

Und sie werden mit dem Besen genau an diesen Stellen kehren, an denen Friede steht.

Er wird sagen: „Leute, ich bin da, ihr habt mich doch gerufen!"

Sie werden sagen: „Ja, ja, aber steh uns nicht im Weg!"

Und wenn das Fest vergessen ist, wird Friede wieder fort sein. Das kennt er!

Nur zu gut kann er sich erinnern. Und doch *muß* er hinüber. Auch wenn er drüben in der Ecke steht, hervorgeholt wird für Besuche. Dann wieder in der Ecke steht, nicht mehr beachtet wird. Das Essen kriegt er, das ist alles. Und kommt die Zeit des Kaviars: dann nicht einmal mehr das. Nun ist er nur noch da, gehört zum Haus wie der Kasten und das Radio. Die Zeit macht satt, sie sehen ihn nicht mehr, steigen über ihn, hängen ihre Jacken über seinen Kopf und putzen sich an seinen Beinen ihre Schuhe ab.

Kommt einer, fragt: „Ist Friede da?", werden sie sagen: „Klar doch, geh nur rein zu ihm!" und werden in eine leere Ecke zeigen, in der das Bild des Präsidenten hängt.

Irgendwann ist er gegangen.

Jetzt sitzt er hier bei mir. Es geht ihm gar nicht gut. Lange steht er vor dem Fenster und sieht hinaus. Dort drüben ist die Familie. Er liebt sie, sie lieben ihn wahrscheinlich auch. Doch sie verstehen ihn nicht. Verstehen nicht, wenn er ihnen einen Grashalm bringt. Sie fragen: „Wo ist die Wiese?"

Er ist nervös, will rüber zu den Eltern, weiß, die Brüder sind im Haus und schlagen alles kaputt. Er weiß, das Spiel beginnt von vorn: Feste, neue Besen für die Scherben, lautes Rufen nach dem Sohn.

Er steht am Fenster, sieht hinüber, wo die Familie wohnt.

Friede ist da. Ich weiß nicht, für wie lange. Wenn Du Lust hast, Pünktchen, komm vorbei! Er freut sich so sehr über Besuch.

Dein Märchen

Dill

When God first created woman and then man, he simply couldn't imagine that later, all the pubs would be full of men and all the kitchens full of women. And probably he never planned either that the men would say, "That's the way it is." And that women would do what had to be done. God finally recognized this misfortune, and decided to devise something new which would do away with the injustice. He snapped His fingers and there was a small herb, created especially for this situation. Then he snapped His fingers again and there were special people who were able to find this little plant and who also knew what it was good for.

So it became the custom that the bride paid a visit to the old herb woman, before going to the altar. The former always lived in the nearest forest, because concrete and glass took away her ability to talk with the plants. Also, she didn't care about name brand clothes and blue jeans. She wore discarded clothes, leaves and pine cones. And she looked very pretty in them.

When the young women, swept off their feet with love, came to her, she already knew what was bothering them. "My boyfriend, he … I'm going to marry him soon, but I don't know …" "That's fine, my little one," answered the old woman and nodded with understanding. "Sit down and answer a few questions for me. Then I'll find the right herb for you. Well then, does he go to pubs?" "Yes." "Does he come home late with bad breath?" "Yes! Do you know him?" "Be silent, child. I know what men are like. Does he burp and fart like crazy?" "Well, not always, but … yes!" "Whenever he does stay at home, is he not concerned about you and only wants to snuggle up with you?" "Yes, that's right, only … " "He gets angry very fast and only eats what he likes?" "No, don't make him sound so bad … well, yes." "And do you really love him?" "After everything that you have asked me, and hearing

Dill

Als Gott zuerst die Frau und dann den Mann erschuf, hätte er sich nicht gedacht, daß später einmal die Wirtshäuser voller Männer und die Kirchen voller Frauen sein würden. Und wahrscheinlich hatte er auch nie geplant, daß die Männer sagen, so ist das, und die Frauen tun, was sie müssen. Gott sah dieses Mißgeschick und beschloß, schnell etwas Neues zu entwerfen, daß diese Ungerechtigkeit beseitigt werde. Er schnippte mit dem Finger, und es gab ein Kräutlein, nur geschaffen für solche Fälle. Und er schnippte noch einmal mit dem Finger, und da gab es Menschen, die dieses Kräutlein finden konnten und auch wußten, wozu es gut war.

So wurde es Brauch, daß die Braut, bevor sie zum Traualtar ging, dem Kräuterweibl einen Besuch abstattete. Dieses wohnte immer im nächstgelegenen Wald, denn Beton und Glas nahmen ihm die Kraft, mit den Pflanzen zu sprechen. Auch kümmerte es sich nicht um Lacoste und Blue Jeans, es trug abgelegte Kleider, Blätter und Zapfen, und das kleidete es sehr hübsch. Wenn die jungen Dinger mit glühenden Liebesköpfen zu ihm kamen, wußte es schon, was sie plagte! „Mein allerliebster Schatz, er ... und ich heiraten doch bald, aber ich weiß nicht..." „Alles klar, Mäuschen", antwortete das alte Weibl und zwinkerte wissend. „Setz dich und beantworte mir einige Fragen. Dann werde ich dir das richtige Kraut schon finden. Also: Geht er ins Wirtshaus?" – „Ja." – „Kommt spät heim und stinkt aus dem Mund?" – „Ja, kennst du ihn etwa ..." – „Schweig, Kind, ich kenne die Männer. Furzt und rülpst wie nur was?" – „Nun, nicht immer, aber ... ja!" – „Wenn er mal zu Hause sitzt, will er von dir nichts wissen, außer er will sich zu dir kuscheln?" – „Ja, schon, nur ..." – „Ist leicht aufgebracht und ißt nur, was ihm schmeckt?" – „Nein, mach ihn nicht so schlecht ... ja." – „Und du liebst ihn wirklich?" – „Nach alldem, was Ihr mich da gefragt habt und was ich ge-

my answers, I don't really know anymore ... yes, I still do. I love him!" "That's good, my child, you're in luck. We only need a certain herb to cure this fellow. Come." The herb woman took the girl by the hand, led her into the tall grass, through the thicket, under young pine trees, until the pretty young lady was a horrible mess. Finally they came to a large clearing, which the sun had painted golden yellow. The odors from the woods were very strong, but one particular odor managed to overpower all the others.

"Here we'll find your magic herb!" The herb woman pushed aside the reeds and pointed at a tall plant with yellow blossoms and delicate green leaves.

"Dear Dill, I have brought you yet another poor little creature who will soon be going to the altar with one of those roguish fellows. You really have to help her!" Then she mumbled a few incomprehensible words, nodded her head three times to the right, three times to the left, three times back, and three times forward.

Then the old woman turned around, approached the plant backwards, bent over and cut the dill through her legs. "Thank you very much for helping us, Dill," and she swung the seven stems over her head and handed them to the girl, whose mouth was hanging wide open in amazement. "Listen, on the way to the church, put one stem in your shoe. The whole way there you should whisper to yourself: I have a mind; I have some dill; therefore my husband must do what I will. But don't forget to say: I do. – Otherwise, we have done everything for nothing. Normally, this would make him as meek as a lamb. But listen, if he comes home with bad breath again, have him chew on the seeds of the dill. If he doesn't want to kiss you, cook him some tea from the dill seeds. If his belly and guts rumble around as if Lucifer were having a birthday party, then he has to drink some tea made from the leaves. And if he does not want to eat what you cook for him, spice the food with the delicate stems. Believe me, it helps!" And that is the way it is even today ... Try it yourself!

antwortet habe, weiß ich es nicht mehr so recht … Doch, ja, ich liebe ihn!" „Gut, mein Kind, du hast Glück. Für diesen Kerl brauchen wir nur ein gewisses Kräutl. Komm." Das Kräuterweibl nahm das Mädchen bei der Hand, führte es ins hohe Gras, durchs Dickicht, unter junge Föhren, bis das arme, hübsch herausgeputzte Kind schon ganz zerzaust aussah. Endlich kamen sie auf eine weite Lichtung, die die Sonne goldgelb angepinselt hatte. Es roch unwahrscheinlich nach Wald, und trotzdem gelang es einem Geruch, sich durch alle anderen hindurch zur Nase vorzukämpfen.

„Hier finden wir dein Zauberkraut!" Das Kräuterweibl bog das hohe Schilfgras zur Seite und zeigte auf ein hohes Kraut mit gelben Blüten und zarten, grünen Blättern. „Lieber Dill, ich bringe dir wieder so ein armes Wesen, das in wenigen Tagen von so einem rauhen Burschen zum Traualtar geschleppt werden wird. Du mußt ihm bitte helfen!" Es murmelte einige unverständliche Worte, wiegte den Kopf dreimal nach rechts, dreimal nach links, dreimal in den Nacken und dreimal nach vorne.

Dann ging das Weibl rückwärts auf das Kraut zu und schnitt zwischen den Beinen hindurch den Dill. „Ich danke dir, Dill, daß du uns helfen willst." Die sieben abgeschnittenen Stempel schwang es über seinem Kopf und überreichte sie dann dem Mädchen, das vor Staunen den Mund weit offen hielt.

„Höre: Wenn du dich auf den Weg zur Kirche machst, lege ein Zweiglein in deine Schuhe. Den ganzen Weg murmle: Ich hab Hirn und hab Dill, mein Mann muß machen, was ich will! Vergiß aber nicht das *Ja* – sonst war alles umsonst. Normalerweise müßte er dann brav wie ein Lämmchen sein, aber höre: Stinkt er wieder mal aus dem Mund, laß ihn die Körner des Dills kauen. Will er dich nicht küssen, koch ihm einen Tee aus den Samen. Rumpelt ihm der Magen und das Gedärm, als hätte Luzifer Geburtstag, muß er einen Tee aus den Blättern trinken. Und will er nicht das essen, was du ihm auf den Tisch setzt, würze die Speisen mit den feinen Stengelchen. Glaub mir, es hilft!"

Und so ist es bis heute geblieben … Probier es aus!

The Long Way

The whole matter seemed very suspicious to the donkey. Every morning she saw Maria run to the stream and heard how she choked and threw up.

"Well, in my opinion," she said to the cow, "it's about time she told Joseph. He has a right to know." The old cow nodded her head thoughtfully, and in between two bites she murmured that first, nothing was certain, and that second, she would never interfere in such situations, and that third, over the past few weeks she had noticed a strange crackling in the air and a mysterious warm chill, which were the only things that really interested her.

"Do you think that I should talk to her about it?" probed the donkey further, and let her left ear droop down—a sign of utmost concern!

"I already told you; I'm staying out of it. Maria is old enough to know what she is doing. Even though personally I don't understand why Joseph, of all people … "

"Aha!" exclaimed the donkey, "Now you've given yourself away. Even you believe it!"

"I don't believe anything. I just have experience in such things," and she trotted off nostalgically to the pasture where she mingled with her children.

"I am going to talk to Maria tomorrow," resolved the donkey and nervously gave a little kick.

The next morning, when Maria has again kneeling at the edge of the stream, as she had done for eight weeks, her cramped face mirrored in the water, she suddenly noticed the rippled reflection of the donkey next to her. "What are *you* doing here?"

"I, I … thought that you maybe needed some help," stuttered the donkey.

"I feel sick."

"I know. I've seen it and heard it for eight weeks."

Der lange Weg

Der Eselin kam die Sache äußerst verdächtig vor: jeden Morgen sah sie Maria zum Bach laufen, hörte sie dort röcheln und sich übergeben.

„Also ich finde", sagte sie zur Kuh, „sie sollte es Josef endlich sagen. Er hat ein Recht darauf, es zu erfahren." Die alte Kuh nickte bedächtig mit dem Kopf und murmelte zwischen zwei Bissen, daß erstens gar nichts feststünde, zweitens sie sich niemals in solche Angelegenheiten einmischen würde und drittens sie seit ein paar Wochen ein seltsames Knistern in der Luft und einen unheimlichen, warmen Schüttelfrost spüre und nur das interessiere sie wirklich.

„Meinst du, ich sollte sie darauf ansprechen", bohrte die Eselin weiter und ließ ihr linkes Ohr herabbaumeln – das war ein Zeichen höchster Aufregung!

„Ich sagte dir bereits, ich halte mich da raus. Maria ist alt genug zu wissen, was sie tut. Auch wenn ich persönlich nicht ganz verstehe, warum es ausgerechnet der alte Josef ..."

„Aha", schrie die Eselin auf, „jetzt hast du dich verraten. Du glaubst es also auch!"

„Ich glaube gar nichts. Ich habe nur Erfahrungen mit solchen Dingen", und mit Wehmut trabte sie hinüber zur Weide, wo sie sich unter ihre Kinder mischte.

„Morgen werde ich mit Maria sprechen", nahm sich die Eselin vor und schlug vor Nervosität kurz aus.

Am nächsten Morgen, als Maria wieder wie seit acht Wochen am Bachufer kniete und sich im Wasser ihr verkrampftes Gesicht spiegelte, sah sie plötzlich das verwackelte Bild der Eselin neben sich: „Was tust *du* hier?"

„Ich, ich ... dachte, du bräuchtest vielleicht Hilfe", stotterte die Eselin.

„Mir ist schlecht."

„Ich sehe und höre es seit acht Wochen."

"And I don't know what is wrong with me."

"But I do!"

"What do you mean, you old donkey? I know that you are clever, but how could *you* know what is wrong with me?" Then the donkey knelt down in the grass next to Maria, looked at her intently and smiled. "Describe how you feel."

"Oh, donkey, I don't know. It all started eight weeks ago. I was sitting here at the stream and suddenly, I felt as if I were the stream being drawn to the sea. Then I became the sea, became a cloud, – and suddenly I became the earth. Trees, birds, corn, body – everything existed within me."

The donkey nodded and blinked her eyelids. She knew that feeling, and how well she knew. "And who was it?"

"What are you talking about? Who is supposed to be who??"

"Oh, my little one, he, the lucky one, who turned your head around and lord knows what else … you know what I mean … "

"I don't understand a word. What do you mean with the lucky one? I was alone!"

"Alone? Come on, you know you can trust me." And then the donkey asked somewhat briskly, "Well then, who was it? Jokl or Abraham? Maybe Shekel? He's really not bad."

Maria jumped up and ran off. "I've had enough of your nonsense. I thought you would understand me, but you only think bad things about me."

"But, but, what do you mean, bad? You are young and pretty, and the petals of the blossom do open when the first ray of sunshine hits them. That's just the way it is."

"Donkey, I don't know what you are talking about, so just leave me alone."

The donkey had caught up with Maria and now stood in her way. "I'm sorry if I offended you. Come, let's sit down together and talk."

And so Maria and the donkey sat down together in the grass and remained silent for a long time, until the donkey began. "You said … sea?"

94

„Ich weiß auch nicht, was los ist mit mir.“

„Aber ich!“

„Was erzählst du da, alter Esel? Ich weiß, du bist klug, aber wie solltest *du* wissen, was mir fehlt!“

Da legte sich das Tier neben Maria in das Gras, warf ihr einen tiefen Blick zu und lächelte: „Beschreib mir deine Gefühle.“

„Ach, Esel, ich weiß nicht. Vor acht Wochen hat es begonnen. Ich saß hier am Bach, und plötzlich war mir, als wäre ich selbst der Bach und würde zu einem Meer ziehen. Dann wurde ich Meer, wurde Wolke – plötzlich bin ich die Erde gewesen. Baum, Vogel, Korn, Körper – alles passierte in mir.“

Die Eselin nickte und blinkerte mit ihren Augenlidern – sie kannte diesen Zustand, oh ja, sie kannte ihn. „Und wer war es?“

„Wovon sprichst du? Wer soll wer gewesen sein?“

„Na, Mäuschen, *er*, der Glückliche, der dir die Augen verdreht hat und weiß Gott was noch alles … du verstehst schon …“

„Ich verstehe kein Wort. Was meinst du mit *dem Glücklichen?* Ich war allein!“

„Allein? Komm, du weißt, du kannst mir vertrauen.“ Und etwas barsch fragte die Eselin: „Also, wer war es? Jokl oder Abraham? Vielleicht Shekel? Der ist gar nicht übel.“

Maria sprang auf und lief davon: „Mir reicht dein Gequatsche. Ich dachte, du würdest mich verstehen, aber du denkst nur schlecht von mir.“

„Aber, aber, was heißt schlecht? Du bist jung und hübsch, und Blütenblätter öffnen sich, wenn der erste Sonnenstrahl auf sie fällt. So ist's nun mal.“

„Esel, ich weiß nicht, wovon du sprichst, und nun laß mich in Ruhe.“

Die Eselin hatte Maria eingeholt und sich ihr in den Weg gestellt. „Verzeih, wenn ich dich gekränkt habe. Komm, laß uns zusammensetzen und reden.“

Maria und die Eselin setzten sich ins Gras und saßen lange schweigend da, bis die Eselin begann: „Du sagtest … Meer?“

Maria nodded and a few tears escaped.

"And you were alone? Nobody was with you?"

Maria nodded again and sniffled a little. "I was alone, but I had this feeling as if the whole world were within me, as if the sun's rays went directly to my heart!"

"Directly to your heart …" repeated the donkey thoughtfully. "Maria, have you ever, well, with someone … I mean, have you ever kissed someone and all that?"

Maria wanted to jump up again, but the donkey put her hoof on Maria's legs.

"I already told you. No, never. I wouldn't even know with whom or why."

"And Joseph?!"

"What do you mean, 'and Joseph?' He is like a father to me."

"If that is so, Maria, then the whole thing is a bit complicated. Something is not quite right."

"Donkey, since that day I have felt unusually good – like a warm chill has come over me. I feel as if I were lying in a large, yes, a huge hand which lifts me above everything. And I sense a breath which blows the mist away from things and makes them appear clear and distinct."

"Of course," thought the donkey to herself and scratched behind her ear.

"No," said Maria softly, "believe me and trust me. There is no 'of course' … "

The donkey was terrified. Now this young girl was even able to read minds. The whole thing was getting mysterious. "Maria, when did you last have your period?"

Maria stared at the ground and finally choked out, "Ten weeks ago."

"Well then, of course," whinnied the donkey and slapped herself on the hip. "Maria, you're pregnant!"

Maria was shocked and stared at the donkey in horror. The truth had been spoken, the truth which had been looking at her for weeks from her reflection in the stream.

Maria nickte, und ein paar Tränen schlichen sich davon.

„Und du warst allein? Niemand war bei dir?"

Wieder nickte Maria und schniefte kurz auf: „Ich war allein, und doch hatte ich dieses Gefühl, als wäre die ganze Welt in mir. Als wäre ein Sonnenstrahl direkt in mein Herz gefahren!"

„... direkt ins Herz gefahren ...", wiederholte die Eselin nachdenklich. „Maria, hast du schon einmal, nun ... mit einem ... ich meine, habt ihr euch schon einmal geküßt und so?"

Maria wollte schon aufspringen, aber die Eselin legte ihr die Hufe auf die Beine.

„Ich sagte dir doch schon: nein. Noch nie. Ich wüßte gar nicht, mit wem und wieso."

„Und Josef?"

„Was heißt Josef? Er ist wie ein Vater für mich."

„Wenn ich dir glaube, Maria, wird die Sache kompliziert. Da stimmt irgend etwas nicht."

„Eselin, seit diesem Tag fühle ich mich unheimlich gut. Wie warmer Schüttelfrost. Ich fühle mich, als würde ich in einer großen, einer riesigen Hand liegen, die mich über alles hinweghebt. Und ich spüre einen Atem, der allen Nebel von den Dingen nimmt und sie klar und deutlich erscheinen läßt."

„Also doch", dachte sich die Eselin und kratzte sich hinterm Ohr.

„Nein", sagte Maria sanft, „glaube und vertraue mir. Es gibt kein *also doch* ..."

Die Eselin erschrak – nun konnte dieses junge Ding auch noch Gedanken lesen –, langsam wurde die Sache unheimlich.

„Maria, wann hast du das letzte Mal deine Tage gehabt?"

Maria starrte auf den Boden und würgte ein „Vor zehn Wochen" hervor.

„Also doch, also doch", wieherte die Eselin und schlug sich auf die Hinterschenkel. „Maria, du bist schwanger!"

Maria blickte die Eselin mit entsetzt aufgerissenen Augen an – nun war die Wahrheit ausgesprochen, die Wahrheit, die ihr schon seit Wochen aus dem Spiegelbild des Baches entgegengesehen hatte.

Next morning Joseph fetched the donkey from the stall, threw a sack of grain on her back and led her on the road to the village. They had walked along beside each other for a short time when the donkey stopped.

"Joseph, I have to talk to you."

Joseph was a quiet, considerate man. He stopped briefly, looked the donkey in the eye, shook his head and went on.

"Listen Joseph, it's not about the labor union this time or about the women's movement. It's about you. Stop. Trust me. In difficult matters, a donkey often knows the best solution."

"Look, donkey! You carry your own load and I'll carry mine."

"But I have to carry around a second load which is much heavier than the one you have given me. Maybe our concerns even have a common cause."

Joseph had stopped. "I'm a patient man, donkey, open and liberal, but, a common cause?" and he went off toward the village with big steps.

"It's about Maria." Joseph stopped with a jerk.

"Now, didn't I tell you, we donkeys ... " Joseph turned around. " ... were made by the same hand? That's why now and then we have common ground. Let's sit down."

"I don't think about such things, and what is this about Maria? Tell me, and then I'll stop talking to you animals again."

"Well, all of us on the farm ... "

"Get to the point, donkey, and please, no scientific analysis."

"Well then, we have noticed that you and Maria live under the same roof."

"Am I supposed to ask the livestock where and with whom I'm allowed to live?" shouted Joseph angrily.

"You don't need to do that. Only ... we think Maria has changed."

Am nächsten Morgen holte Josef die Eselin aus dem Stall, legte ihr einen Sack Getreide auf den Rücken und führte sie auf die Straße zum Dorf. Eine Zeitlang trotteten sie nebeneinander, bis die Eselin anhielt.

„Josef, ich habe mit dir zu reden."

Josef war ein schweigsamer, bedachter Mann. Auch er blieb stehen, blickte der Eselin kurz in die Augen, schüttelte den Kopf und ging weiter.

„Höre, Josef, es hat diesmal nichts mit der Gewerkschaft und unserer Frauenbewegung zu tun – es geht um dich. Halt an und vertraue mir – in schwierigen Dingen erkennt der Esel oft den geradesten Weg!"

„Esel, trag du deine Last, ich trag die meine."

„Aber ich habe noch eine mit mir herumzuschleppen, die ist viel schwerer als das, was du mir aufgeladen hast. Vielleicht haben unsere Sorgen sogar gemeinsame Ursachen."

Josef war stehengeblieben: „Ich bin ein geduldiger Mann, Esel, aufgeschlossen und liberal, aber gemeinsame Ursachen ...", und mit großen Schritten ging er dem Dorf zu.

„Es geht um Maria."

Josef blieb ruckartig stehen.

„Na, habe ich es nicht gesagt, *wir* Esel ..."

Josef drehte sich um.

„... entstammen doch einer Hand, da gibt es dann und wann gemeinsame Ebenen. Setzen wir uns?"

„Ich denke nicht daran. Was ist mit Maria? Sprich, und dann will ich meiner Tierliebe wieder ein Ende setzen."

„Wir auf dem Hof ..."

„Zur Sache, Eselin, zur Sache und keine wissenschaftlichen Analysen bitte."

„Also wir beobachten, daß du mit Maria unter einem Dach wohnst."

„Soll ich die Viecher vielleicht fragen, wo und mit wem ich leben darf?" rief Josef zornig.

„Das brauchst du nicht. Nur ... wir finden Maria so verändert."

"Changed? How changed?" and embarrassed, he looked over the fields for something that wasn't there.

"Then you have noticed it too. That's remarkable for a man, great," said the donkey in a motherly way, and felt like putting her front leg around Joseph's shoulder.

"Good lord, how did this happen? Me, sitting in the grass with a donkey ... I think she has changed too. But she doesn't tell me anything."

"May I ask you a sincere question? Do you love Maria?"

"That's enough. Why should I answer that question? Of course I love her, but not the way you think. I love her as a father loves his daughter, or a brother his sister."

"Then you don't have a relationship with each other?"

"That's really enough!" shouted Joseph, jumped up and ran off, the donkey right behind. "Wait, Joseph, wait a minute. Maria is going to have a baby!"

Joseph tripped and fell head over heels, and the donkey knelt down next to him.

"Have what?" stuttered Joseph.

"You heard correctly, a baby."

"By whom?"

"That's what we would all like to know."

"That, that ... "

"Joseph, don't do her an injustice. Maria is innocent, in spirit as well as in body."

"Nonsense, then how can she ... "

"That's what I wanted to talk to you about."

And so Joseph told of Maria and their lives under one roof. As he withdrew more and more into himself, his eyes began to understand; his thoughts began to flow as if on a river, and suddenly he remembered having felt a chill about eight weeks ago which was pleasant and warm.

One day five weeks later, there was great excitement when Maria came out with a piercing scream. Everyone rushed to

„Verändert? Wie verändert?" und er suchte verlegen die Gegend nach irgend etwas Unsichtbarem ab.

„Du hast es also auch schon bemerkt. Beachtlich für ein Mannsbild, bravo", sagte die Eselin mütterlich und hätte am liebsten ihr Vorderbein um Josefs Schulter gelegt.

„Herrgott, wie komm ich dazu, mit einer Eselin hier im Gras zu sitzen und … ich finde sie auch verändert. Aber sie erzählt mir ja nichts."

„Darf ich dir eine aufrichtige Frage stellen: Liebst du Maria?"

„Jetzt reicht es aber. Warum sollte ich dir diese Frage beantworten? Natürlich liebe ich sie, aber nicht so, wie du denkst. Ich liebe sie, wie ein Vater seine Tochter liebt oder ein Bruder die Schwester."

„Ihr habt also kein Verhältnis miteinander?"

„Genug, genug", schrie Josef, sprang auf und rannte davon. Die Eselin hinterdrein. „Warte, Josef, warte doch. Maria bekommt ein Kind!"

Josef war gestolpert und der Länge nach hingefallen. Die Eselin baute sich neben ihm auf.

„Bekommt was?" stotterte Josef.

„Du hast recht gehört, ein Baby."

„Von wem?"

„Das möchten wir alle gern wissen."

„Diese, diese …"

„Josef, tue ihr nicht unrecht. Maria ist unschuldig, sowohl im Geist als auch im Körper."

„Blödsinn, wie kann sie dann …"

„Das ist's, worüber ich mit dir sprechen wollte."

Und Josef erzählte von Maria und ihrem Leben unter einem Dach und sank immer mehr in sich zusammen, und seine Augen begannen zu verstehen, sein Fluß machte sich auf eine Reise, und plötzlich erinnerte er sich daran, vor ungefähr acht Wochen einen Schüttelfrost, angenehm und warm, gefühlt zu haben.

Völlige Aufregung aber herrschte, als Maria eines Tages einen spitzen Schrei ausstieß: Sofort rasten alle zu Maria, allen vor-

Maria immediately – Joseph in the lead – in order to help. Maria had sat down in the grass, put her hands on her stomach and was listening intently. "It moved," she whispered, as if not wanting to disturb the child. "It kicked right here," and she pointed to the place. Actually, everybody, the donkey, cow, cat, and rooster wanted to pounce on that spot, but then they came to their senses and let Joseph go first.

Joseph, who was otherwise not so squeamish, laid his hand so carefully on her stomach that the donkey and the cow winked at each other.

"Do you feel it?" asked Maria.

"I ... yes, yes, its kicking," he beamed, and three tears fell in greeting to the child, followed by a little stream, and the animals jumped up and down making such a racket that Maria had to scold them. Then the donkey simply pushed aside Joseph, who couldn't get enough of the kicking, and put her nose on Maria's stomach. And so it went until the rooster, after it had had its turn, let out such a yell that they thought a second sun was bringing a new morning in the middle of the day.

"I promise you; I'll send word back immediately after the child is born," said the donkey in parting, and kissed her friends, the cow, the cat, and the rooster. Then she trotted over to the hut, quietly, as she had been instructed, in order not to give away the impending departure, took Maria on her back and, next to Joseph, followed the ray of light which the star had provided.

The world which lay to the right and left of their path was completely still. Only the regular breathing of the three, who advanced toward the sea of longing, revealed that there was life in this picture. It is all so natural – as if the great hand itself had painted it. A man leading a donkey, on it a woman, to a place where they are already expected. The big black bird belongs to the picture as well as the shorn sheep which amble along the red sandy road wondering why the air is

an Josef, um ihr zu Hilfe zu kommen. Maria hatte sich ins Gras gesetzt, die Hände an den Bauch gehalten und lauschte. „Es hat sich bewegt", flüsterte sie, als wolle sie das Kind nicht stören. „Es hat hier geklopft", und sie zeigte auf die Stelle. Eigentlich wollten sich ja alle, Eselin, Kuh, Kater und Hahn auf diese Stelle stürzen, besannen sich dann aber doch und ließen Josef den Vortritt.

Josef, sonst nicht so zimperlich, legte seine Hand so vorsichtig auf den Bauch, daß sich Esel und Kuh zuzwinkern mußten.

„Spürst du es?" fragte Maria.

„Ich ... ja. *Ja*, es klopft", strahlte er, und drei Tränen wollten das Kind auch begrüßen und wurden ein kleines Bächlein, und die Tiere fielen sich in die Pfoten und machten einen solchen Krawall, daß Maria sie ermahnen mußte. Dann schubste die Eselin Josef, der nicht genug vom Klopfen kriegen konnte, einfach weg und legte ihre Nase auf Marias Bauch. Und so ging es, bis der Hahn, nachdem er an der Reihe gewesen war, einen solchen Schrei ausstieß, daß man meinte, eine zweite Sonne hätte mitten am Tag einen neuen Morgen anbrechen lassen.

„Ich verspreche euch, ich gebe sofort Nachricht, wenn das Kind geboren ist", sagte die Eselin zum Abschied und küßte ihre Freunde, die Kuh, den Kater und den Hahn. Dann trabte sie zur Hütte, leise wie ihr aufgetragen worden war, um nur ja nicht die bevorstehende Flucht zu verraten, nahm Maria auf den Rücken und zottelte neben Josef der Lichtspur nach, die der Stern für sie gelegt hatte.

Die Welt, die links und rechts ihres Weges lag, schien atemlos. Nur das gleichmäßige Luftholen der drei, die da dem Meer der Sehnsucht entgegenzogen, ließ erkennen, daß dieses Bild lebendig war: Es ist alles so selbstverständlich – als hätte die große Hand es persönlich gemalt. Ein Mann führt einen Esel, darauf eine Frau, genau dorthin, wo man sie bereits erwartet. Der große, schwarze Vogel gehört dazu und die geschorenen Schafe, die über die rote Sandstraße marschieren und sich

suddenly so different. There is also the blue sky, which they chose for a background, and the layer of dust which hurried horsemen had left behind. And then the two build a village into their glorious picture: an inn, a store, a dozen houses. Then the figures, exact and fine, almost like scissor cutouts: an old white-haired man, hunched over, searches the area for a past, two soldiers who do not understand a future which has already begun, and finally a carpenter, who lays aside both ruler and saw when the little group passes by. That is all. That is enough.

But then, the world *before* the picture arms itself against the truth *in* the picture. Hastily, the innkeeper is painted, and is somewhat blurred when he sends Joseph away. Even more quickly, lurking faces with their guillotines are thrown into the picture, who jeer and laugh and point at Maria, who, riding on the hard back of the donkey, feels the first demands of the child to enter the world. No, the world out there doesn't give up its struggle so easily – *peng* – General Herod's soldiers in the left corner of the picture – *peng* – clerks, who demand papers from the half-conscious woman – *peng* – the peaceful village, painted with the color of love, transforms into a witch's kettle full of prowlers, drunks, gamblers, whores, authorities, and in the middle of it all, a donkey and two people. *He*, at the brink of desperation, but still with his eyes on the rounded stomach, which is now stretched to the limits. *She*, no longer aware of what is going on around her. And the donkey, kicked and blinded, is kept on her feet only by the warm chill which grows stronger and stronger, penetrating her whole body. The picture finally takes pity on them and paints the place which has been waiting for Maria and the child. A shabby wooden hut with straw in it – possibly a stall – but the color of love gives it goodness, warmth, and peace.

"Hurry, Joseph," says the donkey out of breath, and Joseph lifts Maria into the straw, and a big hand slowly erases the pic-

wundern, warum die Luft plötzlich so anders ist. Auch der blaue Himmel, den sie sich als Kulisse gewählt haben und Staubstreifen, die eilige Reiter hinterlassen. Und dann bauen die beiden auf das herrliche Bild ein Dorf: eine Herberge, ein Laden, ein Dutzend Häuser. Dann die Figuren. Scherenschnitte sollen es sein, haargenau und menschenfein. Ein Alter, gebeugt, mit weißem Haar, der die Gegend nach der Vergangenheit absucht. Zwei Soldaten, die die Zukunft, die schon angebrochen ist, nicht begreifen wollen. Und noch ein Zimmermann, der Maßstab und Säge aus der Hand legt, als die kleine Gruppe an ihm vorüberzieht. Das ist alles. Das reicht.

Noch wehrt sich die Welt *vor* dem Bild gegen die Wahrheit *im* Bild. Hastig wird der Wirt der Herberge gemalt, eher verschwommen, als er den Josef fortschickt. Schnell noch werden lauernde Gesichter mit ihren Fallbeilen aufs Bild geworfen, die höhnen und lachen und mit ihren Fingern auf Maria zeigen, die auf dem harten Rücken des Esels die erste Forderung des Kindes nach Erscheinen auf dieser Welt spürt. Nein, so schnell gibt die Welt da draußen diesen Kampf nicht auf – *peng* – Soldaten des Generals Herodes im linken Bildrand – *peng* – Beamte, die von der halb ohnmächtigen Frau Papiere verlangen – *peng* – das stille Dorf, gemalt mit der Farbe Liebe, verwandelt sich in einen Hexenkessel aus Lauernden, Betrunkenen, Spielern, Huren, Obrigkeiten, und mittendrin ein Esel mit zwei Menschen. *Er*, am Rande der Verzweiflung, doch immer die jetzt aufs äußerste gespannte Kugel im Auge. *Sie*, die nicht mehr aufnimmt, was um sie herum vorgeht. Und die Eselin, getreten und geblendet, die durch einen warmen Schüttelfrost, der immer stärker, immer heftiger durch ihren Körper fährt, auf den Beinen gehalten wird. Da endlich hat das Bild ein Einsehen mit ihnen und malt den Ort, der auf Maria und das Kind gewartet hat. Eine ärmliche Bretterbude mit Stroh darin – vielleicht ein Stall –, aber die Farbe Liebe verleiht ihm Güte, Wärme und Stille.

„Mach schnell, Josef", keucht die Eselin, und Josef hebt Maria in das Stroh, und eine große Hand wischt langsam über

ture, and on the horizon of a new picture a sea appears. With the first wave which hits, the donkey falls to her knees, and with the second, Joseph rolls up his sleeves, and with the third, a chill, warm and pleasant, begins to spread from a small insignificant stall in a nameless village throughout the entire world.

das Bild – und am Horizont eines neuen Bildes erscheint ein Meer. Bei der ersten Woge, die auf sie zukommt, fällt die Eselin auf die Knie, bei der zweiten krempelt sich Josef die Ärmel hoch, und bei der dritten läuft von einem kleinen, unscheinbaren Stall in einem namenlosen Dorf ein Schüttelfrost, angenehm und warm, um die ganze Welt ...

The Magic Cube

Dear Friend!

Once again, to a small village in the middle of the jungle with not more than a handful of Indians, white men came. They came there every couple of years, looking around, photographing and bringing everything imaginable with them in the way of tools and food, to trade with the Indians.

As always, the villagers surrounded the strangers, each trying to strike a good bargain. Only one small Indian boy named Nuijami stood back away from them. Those things didn't interest him.

When the trading was in full swing, Nuijami snuck away to the strangers' airplane and rummaged around inside. He discovered a small box, opened it, and peered in cautiously. A peculiar thing was lying in the middle of the box. It was in the shape of a cube and glittered and sparkled. Nuijami had never seen anything like it before. But the strangers had spoken about something called gold, and they had said that it could enchant the whole world. If this were only true, if this were such a magic cube!

Nuijami was so excited he could hardly catch his breath, and he didn't dare take hold of the thing. He saw only the glitter and pictured himself being able to calm the river; and the fish that took hours to catch by hand would rush to him all by themselves. And later, when he was a great warrior, he would hunt tigers and jaguars. Perhaps, he would even become the medicine man of the tribe. That would certainly be very simple with the magic cube!

Finally, he cautiously reached for the cube. And as fast as lightning he snatched back his hand. It was as if a shock had gone through his body. Still, dreams are stronger than fear,

Zauberwürfel

Liebes Pünktchen!
In eine kleine Siedlung mitten im Dschungel mit nicht mehr
als einer Handvoll Indianern kamen wieder einmal weiße
Menschen. Alle paar Jahre lassen sie sich dort blicken, foto-
grafieren, bringen alles mögliche mit: Werkzeuge, Nahrungsmittel, um mit den Indianern zu tauschen.
Wie immer standen alle Dorfbewohner um die Fremden, und
jeder versuchte, sein Geschäft zu machen. Nur ein kleiner In-
dianerjunge, er hieß Nuijami, blieb entfernt von ihnen stehen.
Ihn interessierten diese Dinge nicht.
Als die Tauscherei so richtig in Gang war, schlich sich Nuijami zum Flugzeug und stöberte darin herum. Er entdeckte eine
kleine Kiste, öffnete sie und schaute vorsichtig hinein.
In der Mitte der Kiste lag ein seltsames Ding. Es hatte die
Form eines Würfels, und es glitzerte, strahlte, funkelte. So etwas hatte Nuijami noch nie gesehen. Aber die Fremden hatten von wunderbaren Steinen, von etwas, was Gold heißt, erzählt. Und sie hatten gesagt, daß dies Dinge seien, die alles auf
der Welt herbeizaubern könnten. Wenn das nun wahr wäre …
Wenn dies so ein Zauberwürfel …
Nuijami konnte vor Aufregung kaum atmen, und er getraute
sich nicht, das Ding anzufassen. Er sah nur das Glitzern und
malte sich aus, wie er es sich am Fluß bequem machen würde
und wie die Fische, die er sonst stundenlang mit der Hand fangen mußte, von selbst zu ihm fliegen würden. Und später würde er ein großer Krieger werden, der Tiger und Jaguare fangen konnte. Ja, vielleicht würde er sogar Medizinmann seines
Stammes werden! Mit diesem strahlenden Würfel war das sicher ganz einfach.
Endlich faßte er behutsam nach dem Würfel. Doch blitzschnell zog er seine Hand wieder zurück. Ihm war, als wäre
ein Schlag durch seinen Körper gegangen. Doch Träume sind

109

and so he ventured once more to take hold of the cube, but this time only with the tip of one finger. Once more he was struck, but this time it was no longer unpleasant, only strange. Nuijami gathered up all his courage, and, quickly grabbing the cube, held it up to the light. Now it was even more beautiful; the jungle was mirrored in it, and in it he could even see a part of his hand. The most wonderful thing was that from the spot where this thing lay in his hand, something strange and mysterious coursed through Nuijami's body. He could feel it down to his little toes.

From sheer happiness, Nuijami didn't know what to do. He wanted most of all to climb up the tallest tree and announce to the whole forest: Nuijami has found the most wonderful thing in the world and is holding it in his hands! He will never give it up and will defend it against everyone.

Suddenly he felt something like a drop of water running off the palm of his hand and falling to the ground. And another, another, another. Water came from all sides of his hand at once. Nuijami believed that this was the first miracle – water from *his* hand!

He put his treasure in his other hand and looked at the place where the cube had lain, but did not discover anything unusual. But what was that? Now water was trickling from the other hand. And then, at the height of his joy, Nuijami made a terrible discovery: with every drop that fell from his hand, his treasure grew smaller. No, that could not be, not now when everything seemed to be so terrific …

Nuijami took the piece, which was growing even smaller, carefully between two fingers, kissed it, and blew on it; but that did not help. Drop after drop fell from its mirrored sides, making fine streaks on his hands, arms, and body. In desperation Nuijami held his rapidly diminishing happiness up to the sun. It had so often helped him before, and this time it

stärker als Angst, und so wagte er es noch einmal, diesmal aber nur mit der Spitze eines Fingers. Wieder durchzuckte es ihn, aber nicht mehr unangenehm, nur seltsam. Nuijami nahm all seinen Mut, griff blitzschnell zu und hielt den Würfel gegen das Licht. Nun war er noch viel schöner, der Urwald spiegelte sich darin, und innen war sogar ein Stück Haut seiner Hand zu sehen. Das schönste aber war, daß von der Stelle, wo der Würfel lag, etwas Eigenartiges, Geheimnisvolles durch Nuijamis Körper strömte. Bis zur kleinen Zehe konnte er es spüren!

Nuijami wußte vor Glück gar nicht, was er tun sollte. Am liebsten wäre er auf den höchsten Baum geklettert und hätte es dem ganzen Urwald verkündet: Nuijami hat das Wunderbarste dieser Welt gefunden und hält es in seiner Hand! Nie mehr würde er es hergeben, gegen jeden verteidigen.

Da spürte er, wie ein Wassertropfen durch die Linien seiner Handfläche lief, sich am Ballen noch kurz festhielt und dann zu Boden fiel. Und noch einer, noch einer. Von allen Seiten kamen mit einem Mal Wassertropfen. Nuijami glaubte an das erste Wunder: Wasser aus seiner Hand!

Er nahm seinen Schatz in die andere Hand und besah sich die Stelle, wo der Würfel gelegen hatte, ganz genau, konnte aber nichts Außergewöhnliches entdecken. Doch was war das? Nun tropfte es auch aus der anderen Hand. Und noch in der größten Freude machte Nuijami die furchtbare Entdeckung: Je mehr Tropfen über seine Hand liefen, desto kleiner wurde sein Schatz. Nein, das konnte es doch nicht geben, wo eben noch alles so herrlich schien …

Nuijami nahm das Stück, das immer kleiner wurde, vorsichtig zwischen zwei Finger, küßte es, hauchte seinen Atem darauf – aber es half nichts. Von den spiegelnden Wänden löste sich ein Tropfen nach dem anderen, und die Tropfen zeichneten feine Bahnen auf Nuijamis Hände, auf die Arme, auf den Körper. In seiner Verzweiflung hielt Nuijami das schon klein gewordene Glück hin zur Sonne. Sie hatte ihm schon so oft geholfen, sie würde ihn auch diesmal nicht im Stich lassen.

111

would not let him down either. But the drops just flowed even faster from his hand.

Crying with pain, rage, and fear, Nuijami ran into the forest, to a cool place. There, he threw himself down on the ground and opened his hand. Now there was only a tiny little ball left. For a moment it appeared that this little ball would remain. But even though he held it carefully, it, too, disappeared. Nuijami stared at his damp hand, which was quickly drying in the heat. When he returned to the village the strangers were packing up their things, climbing into the airplane, and soon the loud droning of the motor could no longer be heard.

Your Fairy Tale

Aber da rann es nur so über seine Hand.

Weinend vor Schmerz, Wut und Angst lief Nuijami in den Wald, an eine kühle Stelle. Dort warf er sich auf den Boden, öffnete die Hand. Nur noch ein winzig kleines Kügelchen war übriggeblieben! Für einen Moment hatte es den Anschein, als würde ihm wenigstens dieses Kügelchen bleiben. Doch als er behutsam danach faßte, war es auch schon verschwunden.

Nuijami starrte in seine feuchten Hände, die in der Hitze schnell trockneten. Als er ins Dorf zurückkam, packten die Fremden gerade ihre Sachen zusammen, stiegen ins Flugzeug, und bald war das laute Brummen des Motors nicht mehr zu hören.

Dein Märchen

From The
Islamic Tradition

*

Aus dem
Islam

Chief Kaire and the Head

Young Chief Kaire lives near the river. He lives with his wife in a small village. One day he goes deer hunting, because the Chief and his wife like to eat meat.

He goes into the forest and hunts. And as he lies in wait, he sees something moving in the bushes. He aims his arrow and shoots. He hits something, and it falls to the ground. Chief Kaire approaches. What does he find? A human being. A dead one. Kaire is horrified. Then the dead man says, "Kaire, don't be afraid. It's true, you did kill me but I know that you didn't do it on purpose. If you do as I say, I won't be angry at you."

"And what do you want me to do?"

"Cut off my head and take it home with you, but throw my body into the river."

Kaire does everything that the head tells him. He cuts it off, throws the body into the river, but puts the head in a sack and takes it home. He walks for a while, but then the head says, "Let me look out!" Kaire takes out the head. "Now, take an arrow and shoot it in that direction!" Kaire does what he is told. The arrow hits a deer which Kaire didn't even see. The deer lies dead on the ground. Kaire loads the deer onto his shoulders, but then wonders how he will carry the head? "Never mind!" says the head. "I'll just roll along behind you. You go on!"

When Kaire gets home his wife is terrified, because a head comes rolling along behind her husband. "You don't need to be afraid!" says Kaire. "It is like a brother."

Later, the wife prepares a meal of meat and gruel, and when everything is done, she serves it. "Would you like to eat too?" Kaire asks the head.

"Yes," says the head, "if your wife could pre-chew the meat for me, because my teeth are no good anymore. But I can eat the gruel as it is."

Häuptling Kairé und der Totenkopf

Der junge Häuptling Kairé wohnt nahe am Fluß. In einem
kleinen Dorf wohnt er zusammen mit seiner Frau. Eines Tages geht er auf die Jagd. Einen Hirsch will er jagen, denn
Häuptling Kairé und seine Frau essen gern Fleisch.
Er geht in den Wald und jagt. Und als er da so lauert, sieht er,
daß sich im Gebüsch etwas rührt. Er zielt und schießt seinen
Pfeil ab. Er trifft: das Tier stürzt zu Boden. Häuptling Kairé
geht hin. Was zieht er heraus? Einen Menschen. Einen Toten.
Kairé ist entsetzt. Da sagt der Tote: „Kairé, fürchte dich nicht.
Gut, du hast mich umgebracht, aber ich weiß, du hast es nicht
absichtlich getan. Wenn du tust, was ich dir sage, dann werde ich dir nicht böse sein." „Und was willst du, daß ich tun
soll?" – „Schneide mir den Kopf ab, und nimm ihn mit heim.
Den Leib aber wirf in den Fluß!"
Kairé tut alles, was der Kopf sagt. Er schneidet ihn ab, wirft den
Leichnam in den Fluß, den Kopf aber legt er in einen Sack und
nimmt ihn mit. Er geht und geht, da sagt der Kopf: „Laß mich
herausschauen!" Kairé nimmt den Kopf heraus. „So, nun nimm
einen Pfeil und schieß in jene Richtung!" Kairé tut alles genau
so. Der Pfeil trifft einen Hirsch. Kairé hat ihn gar nicht gesehen.
Der Hirsch ist tot. Kairé will sich den Hirsch auf die Schulter
laden. Aber wie soll er dann den Kopf tragen? „Laß nur!" sagt
der Kopf. „Ich rolle hinter dir her. Geh du nur voraus!"
Wie Kairé heimkommt, erschrickt die Frau, weil hinter dem
Häuptling ein Totenkopf gerollt kommt. „Du brauchst dich
nicht zu fürchten!" sagt Kairé. „Er ist wie ein Bruder."
Die Frau brät Fleisch und kocht den Brei. Als alles gar gekocht
ist, bringt sie es. „Willst du auch essen?" fragt Kairé den Totenkopf.
„Ja", sagt der Kopf. „wenn deine Frau mir das Fleisch vor-
kaut, denn meine Zähne sind nicht mehr gut. Aber den Brei
kann ich so essen."

And so the three live together in the hut and each day, Kaire and the head go hunting. But after fourteen days the head says, "Now, dear friends, I have to go away for a few days. I have something to do. Carry me into the forest and put me down where you killed me! In one week you can return for me."

Kaire takes the head into the forest and puts it back where he found it.

Then he returns home. For one week he goes hunting; for one week he goes fishing, but he finds no game and he catches no fish. When the head returns, however, he is again as lucky as the best hunter.

Many months pass in this way. Kaire and his wife have a son. A beautiful child. When the head is not hunting or fishing with Kaire, it sits with the child. The child grows. Kaire and his wife also have a daughter, and from time to time, Kaire has to carry the head into the forest and fetch it again after one week.

One day when Kaire goes swimming, his wife stays home in the hut, and the children play outside in the grass. Suddenly, a poisonous snake slithers up and is about to eat one of the children, but the head rolls in front of it and fights. When Kaire returns home he finds a poisonous snake with a crushed head lying next to the children.

But the head is sick. It says, "The snake bit me and I am filled with poison. Listen, and do everything exactly as I tell you!"

"I am listening."

"Good. Take me into the forest and cremate me! Let me burn until I have completely turned into ashes! Then put the ashes into a pouch. Among them you will find a blue stone. Take it and hang it around your daughter's neck as an amulet! Then bury the ashes in the forest where you found me!"

Kaire does everything exactly as the head commanded. He buries the ashes in the forest, where later a palm tree grows. Kaire always finds game near the palm tree, but for one week each month he finds nothing.

So lebten sie zu dritt in der Hütte. Kairé geht mit dem Kopf auf die Jagd. Aber nach vierzehn Tagen sagt der Kopf: „Nun, liebe Freunde, muß ich für einige Tage fortgehen. Ich habe zu tun. Trag mich in den Wald! Lege mich dorthin, wo du mich getötet hast! In einer Woche kannst du wiederkommen, um mich zu holen."

Kairé nimmt den Kopf, geht mit ihm in den Wald und legt ihn wieder dorthin, wo er ihn gefunden hatte.

Dann kehrt er nach Hause zurück. Eine Woche lang geht er auf die Jagd, eine Woche lang geht er zum Fischen, aber er trifft kein Wild und fängt keinen Fisch. Als dann der Kopf wieder bei ihm ist, hat er wieder Glück wie der beste Jäger.

So vergehen viele Monate. Kairé und seine Frau bekommen einen Sohn. Ein schönes Kind. Wenn der Kopf nicht mit Kairé auf der Jagd oder beim Fischen ist, sitzt er beim Kind. Das Kind wächst. Kairé und seine Frau bekommen auch noch eine Tochter. Von Zeit zu Zeit muß Kairé den Totenkopf in den Wald tragen, dann muß er ihn nach einer Woche wieder holen.

Eines Tages geht Kairé baden, die Frau aber ist in der Hütte. Die Kinder spielen im Gras. Da kommt eine giftige Schlange, die will die Kinder fressen. Aber der Kopf rollt auf sie zu und kämpft mit ihr.

Als Kairé heimkommt, findet er neben den Kindern eine Giftschlange mit zermalmtem Kopf.

Aber der Totenkopf ist krank. Er sagt: „Die Schlange hat mich gebissen. Ich bin voll Gift. Höre zu und tu genau alles so, wie ich es dir sage!" – „Ich höre." – „Gut. Nimm mich und verbrenne mich! Verbrenne mich so lange, bis alles zu Asche geworden ist! Dann fülle die Asche in einen Beutel. Du wirst dabei einen blauen Stein finden. Den nimm heraus und hänge ihn deiner Tochter als Amulett um! Die Asche aber vergrabe im Walde, wo du mich gefunden hast!"

Kairé macht alles genauso, wie es der Kopf befohlen hat. Er vergräbt die Asche im Wald, dort wächst eine Palme. Bei der Palme findet Kairé jede Woche Wild. Nur eine Woche im Monat findet er dort nichts.

The children grow up. They reach marrying age, and there are many lads who wish to marry Kaire's daughter. One of them, the son of a chief, wins her hand, but as he is about to lie down with her the first night, he sees the blue rock glowing in the dark. "What do you have around your neck?" he asks.

"A rock," says the young wife. "No, that's not a rock; it's a magic eye." And he runs away.

A little later, another lad comes and marries the girl, but again, when they lie down together the first night he sees the blue stone. "What do you have around your neck?" "A rock." "No, that's a magic eye and it is looking at me with an evil stare." And the second lad also runs away.

After that, all of the boys are afraid and no one wants to marry the girl. Many months go by.

One day a young man comes along with only one eye. It is during one of the weeks without meat. But the one-eyed lad brings game and fish. He sits down with Kaire and says, "I am fond of your daughter."

"Fine," says Kaire, "but she has been cursed and no one wants her."

"But I do want her," says the one-eyed lad.

The wedding takes place shortly thereafter. That evening the one-eyed lad lies down with her and says, "Let me have a look at your stone!"

"Here!" And she shows him the blue stone. The one-eyed lad takes the stone and puts it into the socket where his eye is missing.

The next day Kaire says to his wife, "The one-eyed lad is better than the others. At least he didn't run away." Then a man comes out of the daughter's hut. He is not one-eyed; he has two eyes. One of them is blue.

"Father-in-law," says the two-eyed man, "from now on I'll do the hunting. You no longer have to work. But once a month I shall leave to be with my own people. During that time you can fish here in the river and you will always have a good catch. And so it was.

120

Die Kinder werden groß, sie werden heiratsfähig. Es finden sich viele Burschen, die die Tochter von Kairé heiraten wollen. Einer bekommt sie, ein Sohn eines Häuptlings.

Als er sich zu ihr in die Matte legen will, sieht er den blauen Stein, der leuchtet im Finstern.

„Was hast du da am Hals?" fragt er. „Das ist ein Stein", sagt die junge Frau. „Nein, das ist kein Stein. Das ist ein Zauberauge." Und er läuft davon.

Einige Zeit später kommt wieder ein junger Bursche und heiratet das Mädchen. Und wieder, wie er sich zu ihr in die Matte legen will, sieht er den blauen Stein. „Was hast du da am Hals?" – „Einen Stein." – „Nein, das ist ein Zauberauge. Es schaut mich ganz bös an." Und auch der zweite Bursche läuft davon. Jetzt haben alle Burschen Angst. Keiner mehr will das Mädchen heiraten. So vergehen viele Monate.

Eines Tages kommt ein junger, einäugiger Bursche. Es ist die Woche ohne Fleisch. Aber der Einäugige bringt Wild und Fische. Er setzt sich zu Kairé und sagt: „Deine Tochter gefällt mir." – „Ja", sagt Kairé, „aber sie hat einen bösen Zauber, und deshalb will sie niemand haben." – „Ich will sie schon haben", sagt der Einäugige.

Einige Zeit später ist die Hochzeit. Am Abend steigt der Einäugige zum Mädchen in die Matte. „Laß mich einmal deinen Stein sehen!" – „Hier!" – Sie nimmt den blauen Stein. Der Einäugige nimmt den Stein und steckt ihn sich in die Augenhöhle, wo das Auge fehlt.

Am anderen Tag sagt Kairé zu seiner Frau: „Der Einäugige ist besser als die anderen Burschen. Er ist nicht davongelaufen." Da kommt ein Mann aus der Hütte der Tochter. Es ist kein Einäugiger, er hat zwei Augen. Eines davon ist blau.

„Schwiegervater", sagt der Zweiäugige, „ich werde jetzt immer auf die Jagd gehen. Du brauchst nicht mehr zu arbeiten. Nur einmal im Monat, da werde ich fortgehen zu den Meinen. Dann kannst du hier im Fluß fischen. Du wirst immer viele Fische fangen."

Und so war es.

The Ram on a Pilgrimage

Once in a lifetime, every good Muslim makes a trip to Mecca, the holy city of Islam. And believe it or not – the ram, that stubborn goat, gave thanks to Allah every day in his prayers. When the muezzin called to prayer, he would leave even the tastiest grass and run to the mosque. And if there were none around, he turned toward the east wherever he was and bowed his head.

One day, the ram decided to make a pilgrimage to Mecca. All of his friends and relatives advised against it. "Ram, don't go to Mecca," they said, "Don't go to Mecca! It's too dangerous. Along the way a thousand dangers lie in wait for you; you'll be eaten!"

But the ram trusted in Allah, so he took his pot of honey, his walking stick and started out on the long journey to Mecca.

He walked for many days and many nights. Through deserts and forests, across mountains and rivers; a lucky star watched over his journey, until ...

Until he met a hyena at the gates of a city.

"Well, who are you?" asked the hyena.

"The ram. On a pilgrimage."

"On a pilgrimage? Interesting. And where will your travels take you?"

"To Mecca. I am traveling to Mecca," answered the ram proudly.

"To Mecca, hmm. Unfortunately, I have to disappoint you, my little billy goat. You won't be going to Mecca. Your journey ends here."

"But ... How so ... Why?"

"*Your* God has instructed you to make a pilgrimage to Mecca, and *my* God has instructed me to wait for you here. He takes good care of me, my God, and now and then he sends me a wandering goat. For a feast!"

122

Der Bock auf Pilgerreise

Jeder gute Muslim macht sich irgendwann in seinem Leben auf die Reise nach Mekka, der heiligen Stadt des Islam. Und wenn ihr es auch nicht glaubt – der Bock, dieses störrische Ziegentier, dankte Allah jeden Tag mit seinen Gebeten. Rief der Muezzin, ließ er das saftigste Gras stehen und lief in die Moschee. Und war keine in der Nähe, richtete er sich gegen Osten und senkte sein Haupt dort, wo er gerade stand.

So faßte der Bock den Entschluß, nach Mekka zu pilgern. Alle seine Verwandten und Freunde rieten ihm ab. „Bock, geh' nicht nach Mekka", riefen sie, „geh' nicht nach Mekka! Es ist zu gefährlich. Unterwegs lauern tausend Gefahren auf dich – du wirst aufgefressen werden!"

Aber der Bock vertraute Allah, nahm seinen Honigtopf, den Pilgerstab und machte sich auf die weite Reise nach Mekka.

Er lief viele Tage und viele Nächte. Durch Wüsten und Wälder, über Berge und Flüsse. Seine Reise stand unter einem guten Stern, bis ...

Bis er vor den Toren einer Stadt auf eine Hyäne traf.

„Oh, wer bist denn du?" fragte die Hyäne.

„Der Bock. Auf Pilgerreise."

„Auf Pilgerreise? Interessant. Wohin soll denn die Reise gehen?"

„Nach Mekka soll sie gehen, nach Mekka", antwortete der Bock stolz.

„Nach Mekka, aha. Leider muß ich dich enttäuschen, Böcklein. Deine Reise wird nicht nach Mekka gehen. Deine Reise endet hier."

„Aber ... wieso? Warum?"

„*Dein* Gott hat dir aufgetragen, nach Mekka zu pilgern, und *mein* Gott hat mir aufgetragen, hier auf dich zu warten. Er sorgt gut für mich, mein Gott, und schickt mir dann und wann eine umherstreunende Ziege. Für ein Festessen!"

"What? You don't mean to eat me here and now, do you?" stammered the ram and fell to his knees.

"No, no, don't worry. Not here and now. I'll take you to a safer place and then, to honor my God, I'll eat you." And so the hyena threw the ram on his back and carried him off. Through the branches of the forest, to a secure spot. It was a cave. A deep, dark, lonely cave. The hyena entered with his catch. And when his and the ram's eyes adjusted to the dark, they spotted something which took their breath away, so much so that they almost fainted. Before them lay a lioness with her cubs!

"*Ohhh*, your highness, *you* here?" stammered the hyena.

"*Yesss*," snarled the lioness.

"Ah. I ... I ... heard the news. How cute they are, the little ones, congratulations! I hurried over immediately to bring you this ram as my gift."

"Lies!" yelled the ram, "All lies, your highness. I just met him at the entrance of the cave. I was coming to bring you magic that would give you power over all the other animals."

"What, how, what magic?" interrupted the hyena.

The lioness said calmly, "Now just sit down and quit fighting. Ram, you said that you brought something magic. Are you a priest?"

The ram hesitated, but then he answered, "Yes – exactly – I am a priest. And moreover, a scholar!"

"Oh, a scholar! They send me a scholar and a priest!" The lioness was very impressed.

"Him, a priest? A scholar?" snarled the hyena, "He's probably nothing more than a disgusting heathen!"

"Hyena," roared the lioness, "don't insult my religion, and my priest!" and turning to the ram, "But tell me now, what kind of magic have you brought me? A drug, or an amulet?"

„Was? Du willst mich doch nicht hier und jetzt auffressen?"
jammerte der Bock und fiel auf die Knie.

„Nein, nein, sei unbesorgt. Nicht hier und nicht jetzt. Ich bringe dich an einen sicheren Ort, und dort werde ich dich zu Ehren meines Gottes verspeisen." – Und die Hyäne nahm den Bock auf ihren Rücken und trug ihn fort. Durch den Wald, durchs Geäst, an einen sicheren Ort. Es war eine Höhle. Eine dunkle, tiefe, sichere Höhle. Die Hyäne trat mit ihrer Beute ein, und als sich ihre Augen und die des Bocks an die Dunkelheit gewöhnt hatten, erblickten sie etwas, was beiden derart den Atem verschlug, daß sie einer Ohnmacht nahe waren: vor ihnen lag eine Löwin mit ihren Jungen!

„*Ohhh*, Königin, *du* hier?" stotterte die Hyäne.

„*Jaaaaa*", fauchte die Löwin.

„Äh-ich-ich habe von deinem Zustand gehört – wie süß doch die Kleinen sind, gratuliere – und bin sofort hierhergeeilt, dir einen Bock als Geschenk zu bringen."

„Lüge!" schrie der Bock, „alles Lüge, Majestät. Vor der Tür habe ich sie getroffen. Gerade eben. Ich war unterwegs, um dir ein Mittel zu bringen, das dir Kraft und Macht über deine Brüder verleiht."

„Was, wie, welches Mittel?" rief die Hyäne dazwischen.

Die Löwin sagte mit ruhiger Stimme: „Nun setzt euch erst mal und streitet nicht. Bock, du sagtest, du hättest ein Mittel für mich. Bist du denn ein Priester?"

Der Bock zögerte, doch dann antwortete er: „Ja – genau – ein Priester bin ich. Und obendrein noch ein Schriftgelehrter!"

„Oh, ein Schriftgelehrter! Einen Schriftgelehrten und Priester schickt man mir!" – die Löwin war sehr beeindruckt.

„Der ein Priester? Ein Schriftgelehrter?" fauchte die Hyäne, „wahrscheinlich ist er nichts anderes als ein abscheulicher Heide!"

„Hyäne", schrie die Löwin, „beleidige nicht meine Religion und meinen Priester!" – Und zum Bock gewandt: „Aber nun sag: was für ein Mittel hast du mir denn mitgebracht? Eine Arznei oder ein Amulett?"

Again the ram hesitated, but then he answered, "Yes – exactly – I've brought you an amulet. Because you don't really need any drugs. Anyone can see that you are healthy and strong!"

"You are certainly right there. But tell me, what paper will you use to write your amulet?"

"Paper? Dear lioness, I wouldn't use paper to write such a serious and important thing. It tears so easily. Normally, in such cases, I use – hyena skin."

"Lies, nothing but lies! Don't believe him," screamed the hyena and was about to pounce on the ram.

"Hyena, another word and I'll leave my little ones and personally tear you to pieces. – My dear ram, do you prefer dried or fresh hyena skin?"

"A fresh piece would be better, of course!"

The hyena took a few steps toward the exit. "Since you two are getting along so fabulously, you probably don't need me around … "

"Hey, wait a minute, hyena," yelled the lioness, "we weren't actually talking about you just now, but since you happen to be here – come, give us a piece of your hide!"

"Sorry, but that is impossible! It would hurt too much!"

"Cry-baby! You know that if I take it, it will hurt much more! So, come on!"

The hyena ripped a piece of skin from his side and threw it at the feet of the ram. He took it, dipped it in the pot of honey, stirred it around vigorously and handed it to the lioness.

She took it and swallowed it. "Hmm, tastes sweet, but there wasn't much of it. Come on, one more piece!"

The hyena had to tear another piece of skin from his side and he threw,… no, he flung it at the feet of the ram. "Here, you godless beast!"

The ram took it, dipped it into the honey pot, stirred vigorously and handed it to the lioness.

Wieder zögerte der Bock, doch dann antwortete er: „Ja – genau – ein Amulett habe ich Euch gebracht. Denn eine Medizin braucht Ihr doch nicht. Das sieht ein jeder: Ihr seid gesund und kräftig!"

„Da hast du allerdings recht. Aber nun sag: Auf welchem Papier wirst du dein Amulett schreiben?"

„Papier? Weißt du, Löwe, eine so schwierige und verantwortungsvolle Sache schreibe ich sehr ungern auf Papier. Es zerreißt so leicht. Normalerweise verwende ich in solchen Fällen – eine Hyänenhaut."

„Lüge! Nichts als Lügen! Glaubt ihm nicht!" schrie die Hyäne und wollte sich schon auf den Bock stürzen.

„Hyäne, noch ein Wort, und ich vergesse meine Kleinen und zerreiße dich persönlich in Stücke. – Mein Bock, bevorzugst du eine trockene oder eine frische Hyänenhaut?"

„Besser wäre natürlich eine frische, klar!"

Die Hyäne machte einige kleine Schritte in Richtung Ausgang. „Da ihr zwei euch so prächtig versteht, bin ich wohl überflüssig ..."

„Hehe, warte, warte, Hyäne", rief die Löwin, „wir sprachen zwar nicht von dir, aber da du gerade hier bist – komm, gib uns ein Stück von deiner Haut!"

„Tut mir leid, aber das ist unmöglich! Es tut so weh!"

„Wehleidiges Tier! Du weißt, wenn ich es mir nehme, tut es viel mehr weh! Also los!"

Die Hyäne mußte sich also ein Stück ihrer Haut aus der Seite reißen und warf es dem Bock vor die Füße. Der nahm es, tauchte es in den Honigtopf, rührte damit kräftig um und überreichte es der Löwin.

Die nahm es und schluckte es hinunter. „Hm, schmeckt süß. Es ist nur nicht sehr ausgiebig. Komm, noch ein Stück!"

Die Hyäne mußte sich noch ein Stück aus ihrer Seite reißen und warf, nein, schleuderte es dem Bock vor die Füße. „Hier, du gottloser Hund!"

Der Bock nahm es, tauchte es in den Honigtopf, rührte damit kräftig um und überreichte es der Löwin.

She took it and gulped it down. "Yes, I already feel the effects of your amulet – I feel more powerful! But I need more, more!"

The hyena had to tear yet another piece from his side. "I'll never forget this, you scoundrel!"

The ram took the hide, dipped it in the honey pot, stirred vigorously and handed it to the lioness.

The lioness was just about to throw it into her jaws when the hyena seized the moment, took one leap toward the entrance and dashed off.

"He's escaping," yelled the ram, "My queen, he's escaping!"

"That godless thing! He won't even grant his queen a small piece of amulet," and with one leap she was out of the cave, chasing after the hyena.

Only moments later, the lioness had caught up with the hyena and struck him down with one blow of her claws. And with another blow she tore off his entire hide. She threw the hide over her shoulder and returned to the cave. "Here, ram, is this enough writing material." No answer. Then the lioness looked around. No walking stick, no honey pot, and no ram was to be seen.

"What a crazy bunch," mumbled the lioness and then devoured the hyena skin. After the last bite she roared furiously, "The amulet doesn't taste sweet anymore. It must have been the priest's ink that made it sweet. Strange, very strange … "

Die nahm es und würgte es hinunter. „Ja, ich spüre schon, wie dein Amulett wirkt – ich beginne, wild zu werden! Aber ich brauche mehr, mehr!"

Die Hyäne mußte sich noch ein Stück aus ihrer Seite reißen: „Das vergeß ich dir nie! Schurke!"

Der Bock nahm die Haut, tauchte sie in den Honigtopf, rührte damit kräftig um und überreichte sie der Löwin.

Die Löwin wollte sich das Amulett gerade in den Rachen werfen, als die Hyäne den Augenblick nützte, mit einem Satz zum Höhlenausgang sprang und davonjagte.

„Sie flieht", schrie der Bock, „Königin, sie flieht!"

„Dieses gottlose Ding! Gönnt ihrer Königin nicht einmal ein kleines Stückchen Amulett" – und mit einem Satz war auch die Löwin beim Höhlenausgang und sprang hinter der Hyäne her.

Nur Augenblicke später hatte die Löwin die Hyäne eingeholt und sie mit einem Prankenhieb niedergeschlagen. Und mit einem Prankenhieb hatte sie ihr die ganze Haut abgezogen. Sie warf sich die Haut über die Schultern und kehrte zur Höhle zurück. „Hier, Bock, genug Haut zum Schreiben." – Keine Antwort. Da sah sich die Löwin um. Kein Pilgerstab, kein Honigtopf, kein Bock war mehr zu sehen.

„Verrücktes Gesindel", murmelte die Löwin und verzehrte die Hyänenhaut. Nach dem letzten Bissen sagte sie wütend: „Das Amulett schmeckt gar nicht mehr süß. Dann hat sie also nur die Tinte des Priesters süß gemacht. Seltsam, sehr seltsam ..."

The Day Thief and the Night Thief

It is early morning in Cairo. In the street cafes, men slurp their coffee. Water pipes bubble. The muezzin calls from the mosque. Two strangers meet in the crowd at one of the tables. Over coffee. Possibly also while smoking water pipes. They start a conversation. Talk about this and that. "What do you do?" asks one.

"Not important," says the other.

"Come on, it's not a secret, is it?" probes the one.

The other leans over and whispers in the stranger's ear, "Do you really want to know? I'm a thief, really, a thief."

The man neither jumps up nor does he grab his money pouch. On the contrary, he starts to laugh. "My friend, a sign from Allah has brought us together. I'm a thief as well, a night thief, to be exact!"

"And I," says the other, "am a day thief! This is cause to celebrate."

"Agreed," says the night thief, "my house will be yours." They get up to leave, not suspecting how quickly their idly spoken words will acquire a deeper meaning.

They walk through the narrow streets of Cairo, and the day thief wonders why the other is leading him right to his own house. "Strange," he thinks to himself, "he invites me over and then goes to my house." And in fact, they stop in front of the day thief's house, and the night thief says, "Day thief! Welcome to my house!"

"Is this a joke?" the other one thinks to himself. "But fine, I'll play along!"

The night thief knocks, the door opens, and out steps a woman. She looks from one to the other, and turns pale.

"Say hello to my friend," says the night thief.

"Say hello to my friend," says the day thief.

Der Tagdieb und der Nachtdieb

Es ist früher Morgen in Kairo. In den Straßencafés schlürfen Männer ihren Kaffee. Wasserpfeifen brodeln. Der Muezzin ruft von der Moschee. Zwei fremde Männer treffen sich in dem Gewühl an einem der Tische. Bei Kaffee. Vielleicht auch bei einer Wasserpfeife. Sie kommen ins Gespräch. Reden über dies und das. „Was ist dein Beruf?" fragt der eine.
„Nicht so wichtig", sagt der andere.
„Komm schon, ist ja wohl kein Geheimnis!" drängt der eine. Der andere rutscht heran ans fremde Ohr und flüstert: „Willst du es wirklich wissen? Ein Dieb bin ich, ein Dieb."
Der Mann springt weder auf, noch hält er seine Taschen fest – im Gegenteil, er beginnt zu lachen. „Freund, ein Wink Allahs hat uns hierhergebracht – vor dir sitzt auch ein Dieb. Ein Nachtdieb wohlgemerkt!"
„Und ich", sagt der andere, „bin ein Tagdieb! Das muß ein Grund zum Feiern sein!"
„Einverstanden", sagt der Nachtdieb, „mein Haus soll deines sein." Und sie brechen auf und ahnen nicht, wie schnell dahingesagte Worte tiefen Sinn ergeben.
Sie gehen durch die engen Straßen Kairos und der andere wundert sich, warum der eine genau den Weg zu sich nach Hause geht. „Komisch", denkt er sich, „er lädt mich ein und geht zu mir nach Haus'." Und wirklich, da bleiben sie vor dem Haus des anderen stehen, und der eine sagt: „Tagdieb! Sei willkommen in meinem Haus!"
„Was soll der Spaß?" denkt sich der andere, „aber gut, ich spiele mit!"
Der Nachtdieb klopft, es öffnet sich die Tür, und heraus tritt eine Frau. Sie sieht den einen an, sie sieht den anderen an und wird bleich.
„Begrüße meinen Freund", sagt der Nachtdieb.
„Begrüße meinen Freund", sagt der Tagdieb.

They look at each other and turn pale.

"That's my wife," says the one.

"It's my wife," says the other.

"Well, tell him whose wife you are," they both say in unison.

"You're my night husband," says the woman and kisses the one, "and you're my day husband," and kisses the other.

"She has certainly arranged this very conveniently," say the night thief and the day thief, "she fishes both the low tide and the high tide!" But instead of smashing each other's skulls, or at least the woman's, they decide to play a little game. It has to do with a theft, a very special one. Whoever proves himself more clever, bold, and cunning will get the wife, the house, and the skies over Cairo!

While the two of them are devising their schemes, a disastrous day is breaking for a third stranger on the other side of Cairo. He is a wealthy merchant and today, the very day that the thieves are devising their tricks, he is going to the bazaar to do some shopping for himself and his wife.

"Wife," he calls while watering the bushes, "fill my pouch up with coins and stick it in my coat pocket!" She does so.

He rides off with his servant.

Back to our thieves. They are sitting at the entrance to the bazaar. Vigilant, and with wide-open eyes – because of their tricks, and the wife, and the house. Then the day thief spies the merchant and notices the bulging pocket – a bulge which could only be made by coins. He taps the night thief on the shoulder and goes to work.

The merchant disappears in the crowd, followed by the servant and the thief. After only a moment in the crowd, shoulder to shoulder with the thief, the merchant finds that instead of the pouch in his coat pocket there is … a pear! Wonderful fruit! But not to the merchant's taste. He is standing in a shop about to pay for the goods he has chosen. When he sees a ripe pear in his hands instead of a pouch full of money

Die beiden sehen sich an und werden bleich.

„Das ist meine Frau", sagt der eine.

„Es ist meine Frau", sagt der andere.

„Nun, sage ihm, wessen Frau du bist", sagen beide wie im Chor.

„Du bist mein Nachtmann", sagt die Frau und küßt den einen, „und du mein Tagmann", und küßt den anderen.

„Das hat sie sich klug ausgedacht", sagen der Nachtdieb und der Tagdieb, „sie fischt sowohl bei Ebbe als auch bei Flut!" Doch statt sich nun die Schädel einzuschlagen, oder zumindest den der Frau, beschließen sie ein kleines Spiel. Es geht um einen Diebstahl, einen ganz besonderen. Wer sich als klüger, kecker, listiger erweist, bekommt die Frau, das Haus und Kairos Himmel!

Während die beiden ihre List aushecken, beginnt am anderen Ende von Kairo für einen dritten Fremden ein unheilvoller Tag. Er ist ein reicher Kaufmann und heute, ausgerechnet heute, wo die Diebe Listen stricken, will er in den Basar, um für sich und seine Frau ein bißchen einzukaufen.

„Frau", ruft er, während er die Büsche tränkt, „fülle mir den Beutel voll mit Münzen und steck' ihn mir in die Taschen meines Rockes!" – Sie tut's.

Er reitet mit dem Diener los.

Zurück zu unseren Dieben. Sie sitzen am Eingang zum Basar. Wachsam und mit offenen Augen – wegen der List. Und der Frau und dem Haus. Da entdeckt der Tagdieb den Kaufmann und entdeckt die ausgebeulte Tasche – eine Beule, wie sie nur von Münzen verursacht wird. Er klopft dem Nachtdieb auf die Schultern und beginnt sein Werk.

Der Kaufmann verschwindet im Gewühl, gefolgt vom Diener und dem Dieb. Nur ein Moment im Gedränge, Kaufmannsschulter an Diebesschulter, und in der Tasche des Kaufmanns steckt statt des Beutels … eine Birne! Herrliche Frucht! Aber nicht nach dem Geschmack des Kaufmanns, der im Laden eines Händlers steht und seine eben ausgewählten Waren bezahlen will. Als er statt eines Beutels voller Geld eine reife Bir-

he yells, "Cursed woman; she'll regret this!" He is easily excited ...

"Excuse me," he stammers to the shopkeeper, "I'll be back in half an hour, please keep these things for me."

The next minute he is sitting on his horse, riding furiously towards home.

Back to our thief. He is sitting with his friend at the entrance to the bazaar and is happy about the stuffed pouch. Then, the merchant – obviously furious – races by. The day thief sees the chance for his big trick, follows the merchant, catches up with him in a crowd of people, and what does he do? He switches – Allah must have inspired him – the pear for the pouch full of coins! The merchant storms into the house and up to his wife. "So, you want to make me the laughing stock!" he screams, "Here, have a look at what you put in my pocket ..."

And he reaches into his silken robes and pulls out – you know, but he doesn't know yet – and pulls out the pouch, filled with coins!

"Excuse me," he says, sticks the pouch into his pocket, kisses his poor wife and rides off again.

The day thief lies in wait at the entrance to the bazaar. He knows the merchant has to show up any time. Then he comes. Disappears in the crowd. Followed by the servant and the thief. After only a moment in the milling crowd, shoulder to shoulder with the thief, the merchant, instead of a pouch in his pocket, has a ... pear!

"Back again," he says to the shopkeeper, much relieved, and wants to pay. He sticks his hand into his pocket... – yes, you know, but he doesn't know it yet – and by Allah, again pulls out the pear.

"Am I going crazy, is she doing it, or who?" rages the merchant and sees the shopkeeper sneering at him. "Or who?" he suddenly screams and pounces on the shopkeeper. "It must be you, you devilish bandit, because it can't be my wife!" The day thief jumps out from behind a sack full of plums from the

ne in den Händen hält, ruft er: „Verfluchte Alte, das soll sie mir bereuen!" – Er ist leicht erregbar ...

„Verzeih", stammelt er zum Händler, „ich komme in einer halben Stunde wieder, verwahre mir das Zeug."

Schon sitzt er auf dem Pferd und reitet wütend Richtung Heimat.

Zurück zu unserem Dieb. Der sitzt mit seinem Freund am Eingang des Basars und freut sich über den prall gefüllten Beutel. Da sprengt an ihm vorbei – der Kaufmann, wütend, das läßt sich leicht erkennen. Der Tagdieb ahnt die Chance der großen List, verfolgt den Ausgeraubten, erreicht ihn, als er in einem Menschenauflauf steckt, und was tut er? Er tauscht, Allah muß es ihm befohlen haben, die Birne gegen den Beutel voll mit Münzen! Der Kaufmann stürzt in sein Haus, zu seiner Frau: „Du willst mich wohl zum Gespött der Leute machen", schreit er, „hier, sieh, was du mir in die Tasche ..." – und er greift in das seidene Gewölbe und holt hervor – ihr wißt es, aber er weiß es noch nicht – und holt hervor den Beutel, gefüllt mit Münzen!

„Verzeih mir", sagt er, steckt den Beutel ein, küßt die arme Frau und reitet wieder los.

Am Eingang des Basars lauert der Tagdieb – er weiß, der Kaufmann muß gleich kommen. Da kommt er. Verschwindet im Gewühl. Gefolgt vom Diener und dem Dieb. Nur ein Moment im Gedränge, Kaufmannsschulter an Diebesschulter – und in der Tasche des Kaufmanns steckt statt des Beutels ... die Birne!

„Zurückgekehrt", ruft er erleichtert dem Händler zu und will bezahlen. Er steckt die Hand in seine Tasche ... – ja, ihr wißt es, aber er weiß es noch nicht – und hält – bei Allah! – wieder eine Birne in der Hand.

„Bin ich des Wahnsinns, oder ist sie es oder wer?" tobt der Kaufmann und sieht den Händler hämisch grinsen. „Oder wer?" schreit er plötzlich und stürzt sich auf den Händler. „Du bist es wohl, du gottloser Bandit, denn meine Frau kann es nicht sein!" Da springt hinter einem Sack, gefüllt mit Pflau-

Nile delta and dangles the pouch in front of him, that cursed pouch.

"Don't accuse the wrong one," he calls out boldly to the merchant, "I'm the one – many thanks and farewell!"

Before the merchant and the shopkeeper and the servant understand what's going on, the thief has already disappeared in the crowd.

"Well then, what do you say?" laughs the day thief.

"Not bad," agrees the night thief, "but let's wait until nightfall so that I can begin my trick."

When the moon has swept the streets of Cairo clean with its long rays, the night thief and the day thief set out on their way. The night thief stops in front of a stately mansion. "That's the home of Ibn ben Tulla," whispers the day thief, "the richest of the rich, who just died, and whose fortune was inherited by his son. What are you doing here? Our deal was all about the trick, not the amount."

"Yes, yes, just wait and see!" The night thief throws a rope around the highest pinnacle of the mansion, and together with his friend he climbs to the roof of the house. In one of the chambers they see the son as he pushes a little key under his pillow. The son, elated by sudden wealth, is going off to bed – with someone or… whatever – and the night thief seizes the moment. He climbs in and takes the key from under the pillow and immediately finds the right room: the one with the safe. What do you mean, safe? Of course, with so much wealth, it's a whole room. He opens it, and what does he see – forty chests. In each chest: exactly forty sacks each containing precisely 1000 gold coins.

And what does he do? He takes one sack from each chest. Only one. Not two, not three, not four. And with these forty sacks they both disappear from the house of the richest merchant under the skies of Cairo. May Allah be with him.

"Why just one sack? You could have become rich!" asks the day thief.

men aus dem Nildelta, der Tagdieb hervor und schwenkt den Beutel, den verfluchten. „Verdächtigt nicht den Falschen", ruft er keck dem Kaufmann zu, „ich bin's gewesen – schönen Dank und Lebewohl!"

Bevor der Kaufmann und der Händler und der Diener verstehen, worum es geht, ist der Dieb schon in der Menge verschwunden.

„Na, was sagst du?" lacht der Tagdieb.

„Nicht schlecht", meint der Nachtdieb, „doch laß uns nun die Nacht abwarten, damit ich mit meiner List beginnen kann."

Als der Mond mit langen Strahlen die Straßen Kairos leergefegt hat, machen sich der Nachtdieb und der Tagdieb auf den Weg. Der Nachtdieb hält vor einem stattlichen Haus. „Das ist doch das Haus des Ibn ben Tulla", flüstert der Tagdieb, „des Reichsten der Reichen. Der doch gerade gestorben ist. Dessen Vermögen doch der Sohn geerbt hat. Was willst du hier? Es geht um die List, nicht um die Menge."

„Ja, ja, warte nur ab!" Der Nachtdieb wirft ein Seil auf die höchste Zinne des Palastes, und zusammen mit seinem Freund gelangt er auf das Dach des Hauses. In einem der Gemächer sehen sie den Sohn, wie er ein Schlüsselchen unter eine Kiste schiebt. Der Sohn, trunken vom plötzlichen Reichtum, verschwindet im Bett, mit wem oder irgendwie, und dies nützt der Nachtdieb. Er klettert hinunter und holt das Schlüsselchen unter der Kiste hervor und findet auch gleich den richtigen Raum: den mit dem Tresor. Was heißt Tresor? Bei soviel Reichtum natürlich ein ganzes Zimmer. Er öffnet es, und was sieht er: vierzig Truhen. In jeder Truhe: genau vierzig Säcke mit haarscharfen 1000 Münzen aus Gold.

Und was tut er: Er nimmt aus jeder Truhe einen Sack. Nur einen. Nicht zwei, nicht drei, nicht vier. Mit diesen vierzig Säcken verschwinden die beiden aus dem Haus des reichsten Kaufmanns unter Kairos Sonne – Allah möge ihn gut bei sich aufnehmen!

„Wieso gerade ein Sack? Du hättest reich werden können!" fragt der Tagdieb.

"Is it all about the amount or about the trick?" asks the night thief.

It is early morning in Cairo. In the street cafes, men slurp their coffee. Water pipes bubble. The muezzin calls from the mosque. The night thief arrives at the appointed meeting place. "Well, well, my friend, what has happened to you?" exclaims the day thief in amazement. The night thief is dressed in expensive robes, has a donkey with him and a servant. "Come," he says to his friend, "we have a small but important job ahead of us." And he rides with his entourage to the home of Ibn ben Tulla.

There he greets the son of Ibn ben Tulla as if they had studied together at Al-Ahzar, Cairo's university. The son invites the polite gentlemen, including his entourage, to stay overnight, and they chat, and drink coffee, and smoke a water pipe, and listen to music – until suddenly the night thief says, "Enough fun – now I would like to speak with your father, the honorable Ibn ben Tulla."

"My father!" stammers the poor son, "Don't you know, haven't you heard?"

"What should I have heard?" asks the night thief innocently.

"Allah grant him peace – he is dead!"

When the night thief hears this, he doesn't fall into deep sorrow and silence – no. He jumps up from his cushion, pulls at his hair, screams until the whole house comes running, and can hardly be controlled.

"Well, I can certainly understand that you are overcome by the pain of losing my father," says the son of Ibn ben Tulla, "but … is there a reason for such violent grief?"

"A reason? Yes. Didn't you know?" And he begins to scream even louder, "Many years ago I left my entire fortune with your father for safe keeping and have now come to get it."

The confusion ended as it had to end – in front of a judge.

"Stranger, tell us your story," says the Kadi.

„Geht es um die Menge oder um die List?" fragt der Nachtdieb.

Es ist früher Morgen in Kairo. In den Straßencafés schlürfen Männer ihren Kaffee. Wasserpfeifen brodeln. Der Muezzin ruft von der Moschee. Der Nachtdieb kommt zum vereinbarten Treffpunkt. „He, ho, Freund, was ist mit dir geschehen?" ruft der Tagdieb verwundert aus. Der Nachtdieb ist gekleidet in kostbare Gewänder, führt einen Esel mit sich und einen Diener. „Komm", sagt er zum Freund, „wir haben eine kleine, aber wichtige Arbeit vor uns." Und er reitet mit seinem Gefolge zum Haus des Ibn ben Tulla.

Dort begrüßt er den Sohn des Ibn ben Tulla, als hätten sie zusammen Al-Ahzar, Kairos Universität, besucht. Der Sohn lädt den höflichen Herrn samt seinem Gefolge ein, bei ihm einzukehren, und sie schwätzen und trinken Kaffee und rauchen Wasserpfeife und hören Musik – bis plötzlich der Nachtdieb sagt: „Nun aber genug vergnügt – nun möchte ich Euren Vater sprechen, den ehrenwerten Ibn ben Tulla."

„Meinen Vater", stottert der arme Sohn, „ja wißt Ihr es nicht, habt Ihr es nicht vernommen?"

„Was soll ich vernommen haben?" fragt der Nachtdieb scheinheilig.

„Allah schenke ihm Friede – er ist tot!"

Als dies der Nachtdieb hört, verfällt er nicht etwa in tiefe Trauer und Schweigen – nein, er springt von seinem Kissen hoch, rauft sich die Haare, schreit, bis das ganze Haus zusammenläuft, und ist kaum zu bändigen.

„Nun, ich verstehe wohl, daß Euch der Schmerz über den Verlust meines Vaters übermannt", sagt der Sohn des Ibn ben Tulla, „aber … gibt es einen Grund für Eure so heftige Trauer?"

„Einen Grund? Ja, wißt Ihr es etwa nicht?" – und er beginnt noch lauter zu schreien – „ich habe vor vielen Jahren Eurem Vater meinen gesamten Besitz zur Aufbewahrung überlassen und bin nun gekommen, ihn abzuholen."

Der Tumult endet, wie er enden muß – vor dem Richter.

„Fremder, erzähle uns deine Geschichte", sagt der Kadi.

And so the night thief explains, "Many years ago I brought the honorable Ibn ben Tulla forty chests. In each of these chests there were 39 sacks, each containing 1000 gold coins."

"Son of Ibn ben Tulla, what do you say to that?" asks the judge.

And the son of Ibn ben Tulla answers, "There are forty chests in my house. So far, he is right. But it can't be the ones he is talking about, for in each chest there are exactly forty sacks, each containing 1000 gold coins."

The judge notes down the statements of the night thief and the son of Ibn ben Tulla, puts on his robes and marches to the house of the richest of the rich.

They open the chamber and count the chests – 40.

They open the chests and count the sacks – 37, 38, 39 . . .

The son crawls into the chests, digs around, counts, but there are no more – there are 39, exactly as many as the stranger had said. And the night thief loads 40 chests filled with gold coins onto camels, which had been hurriedly called.

"Now," asks the night thief, "which trick was the better one?"

"Yours," says the day thief, "you have won. Everything!"

"I only want my house and my wife," laughs the night thief. "Let the chests be Allah's gift to you for your troubles."

Und der Nachtdieb erzählt: „Ich habe dem ehrenwerten Ibn ben Tulla vor vielen Jahren 40 Truhen gebracht. In jeder dieser Truhen befanden sich 39 Säcke mit je 1000 Münzen aus Gold."

„Sohn des Ibn ben Tulla, was sagst du dazu?" fragt der Richter.

Und der Sohn des Ibn ben Tulla antwortet: „In meinem Haus befinden sich 40 Truhen. Da hat er recht. Aber es können nicht die sein, von denen er spricht, denn in jeder dieser Truhen befinden sich genau 40 Säcke mit je 1000 Münzen aus Gold."

Der Richter notiert die Aussagen des Nachtdiebes und des Sohnes des Ibn ben Tulla, zieht sein Richtergewand über und marschiert zum Haus des Reichsten der Reichen.

Man öffnet die Kammer und zählt die Truhen – 40.

Man öffnet die Truhen und zählt die Säcke – 37, 38, 39 ...

Der Sohn kriecht in die Truhe, wühlt, zählt, aber es werden nicht mehr – es sind 39, genau soviel, wie der Fremde es gesagt hatte. Und der Nachtdieb ladet 40 Truhen, gefüllt mit Münzen aus Gold, auf eilends herbeigerufene Kamele.

„Nun", fragt der Nachtdieb, „welche List war die bessere?"

„Deine", sagt der Tagdieb, „du hast gewonnen. Alles!"

„Ich will nur mein Haus und meine Frau", lacht der Nachtdieb, „die Truhen mögen Allahs Geschenk für deinen Kummer sein!"

Death in Baghdad

Hassan, the baker boy, was running through the streets making deliveries. Suddenly, death appeared from behind a corner. Hassan was literally scared to death, dropped the basket of bread and ran as fast as his legs could carry him back to the bakery.

"Master, master," he gasped, "I have to go to Baghdad, right now. Loan me your donkey!"

"Are you out of your mind?" said the baker, "You are supposed to deliver bread, but not in Baghdad! What do you want to do there?"

"Master, I met death. I'm sure he's here for me; I must flee! I beg you, help me!"

Hassan was so beside himself that the baker could do nothing but just loan him his donkey.

But because the good baker didn't quite believe the whole story, he went to the place where Hassan had allegedly seen death. And in fact – he was still standing there!

"What are you trying to do with my boy?" scolds the baker, "The poor lad is completely confused and says that you were here to take him."

"I was also confused," answered death, "for I do actually have instructions to take him. That's why I was surprised to find him here – He is supposed to die in Baghdad this evening …"

Der Tod in Bagdad

Hassan, der Bäckerbursche, lief durch die Gassen. Da tauchte hinter einer Ecke plötzlich der Tod auf. Hassan erschrak wahrlich zu Tode, ließ den Korb mit den Broten fallen und rannte, so schnell ihn seine Füße tragen konnten, zurück in den Bäckerladen.

„Meister, Meister", keuchte er, „ich muß sofort nach Bagdad. Leiht mir Euren Esel!"

„Bist du nicht bei Sinnen", sagte der Bäcker, „du sollst Brote austragen, aber nicht in Bagdad! Was willst du dort?"

„Meister, ich habe den Tod getroffen, er will mich sicher holen, ich muß fliehen! Ich flehe Euch an, helft mir!"

Hassan war so außer sich, daß der Bäcker nicht anders konnte, als ihm wirklich seinen Esel zu leihen.

Weil der gute Mann der ganzen Geschichte aber nicht traute, ging er zu dem Platz, an dem Hassan den Tod angeblich getroffen hatte. Und wirklich – da stand er noch!

„Was treibst du mit meinem Jungen", schimpfte der Bäcker, „der Arme ist völlig verwirrt und sagt, du würdest ihn holen kommen."

„Auch ich war verwirrt", antwortete der Tod, „denn ich habe wahrhaftig den Auftrag, ihn zu holen. Deshalb war ich verwundert, ihn hier zu treffen. Er soll heute abend in Bagdad sterben ..."

Mohammed and the Beggar

On his journey through the villages, the Prophet met a beggar sitting on the street. Mohammed stopped and asked, "Why do you have to sit here and beg?"

"I enjoyed life too much!"

"You mean, you smoked and drank and didn't miss a chance to enjoy life?"

"Exactly, master, that's right!"

And Mohammed gave him a gold coin.

Right next to this beggar sat another one. And after he had listened to the conversation and seen the sparkle of the gold coin, he too held out his begging hand to the master.

Mohammed also stopped in front of this man and asked, "Why do you have to sit here and beg?"

"Oh, until now, life has brought me only misfortune and misery!"

"You mean, you never smoked, never drank and never enjoyed life?"

"No, master, none of that. A little bread, water, prayer – that satisfies me completely."

And so Mohammed gave him a nickel ...

Now you may ask: Why does Mohammed, the Prophet, distribute his gifts so unfairly?

"I have done nothing other than lessen the suffering of each. That one needed a gold coin, the other only a nickel."

Mohammed und der Bettler

Auf seinem Weg durch die Dörfer traf der Prophet auf einen Bettler, der auf der Straße saß. Mohammed blieb stehen und fragte: „Wie kommt es, daß du hier sitzt und bettelst?"
„Ich habe das Leben zu sehr genossen!"
„Du meinst, du hast geraucht und getrunken und keine Gelegenheit zum Genießen ausgelassen?"
„Genau, Herr, so ist es!"
Da gab ihm Mohammed ein Goldstück.
Gleich neben diesem Bettler saß noch ein anderer. Und nachdem er das Gespräch mit angehört und das Goldstück funkeln gesehen hatte, hielt auch er dem Herrn seine Hand flehend entgegen und erhoffte Gnade.
Mohammed blieb auch bei diesem Mann stehen und fragte: „Wie kommt es, daß du hier sitzt und bettelst?"
„Ach, das Leben hat mir bisher nur Unglück und Verdruß gebracht!"
„Du meinst, du hast nie geraucht, nie getrunken und nie Genüsse erlebt?"
„Ach, Herr, nichts von alledem. Ein bißchen Brot, Wasser, beten – das reicht mir vollends." Da gab ihm Mohammed einen Nickel ...

Nun wirst du fragen: Mohammed – der Prophet, verteilt seine Gaben so ungerecht?
„Ich habe nichts anderes getan, als die Leiden beider zu lindern. Dazu benötigte der eine eben ein Goldstück, der andere nur einen Nickel ..."

The Field of Life

Allah had given a hard-working farmer nothing but lazy sons. Before he died he called together the lazy, greedy bunch and said, "My sons! I know that you care nothing about my land, but I would like to share a big secret with you. A large treasure is hidden in one of my fields. If you dig for it, it will bring you endless good fortune."

The father had hardly been buried a week and the sons were already out in the fields digging in the earth. But nothing was to be found.

But now that the earth had already been turned, it wasn't much more work to plant corn.

And it was a good year with a rich harvest. They sold all the grain and reaped a handsome profit.

When they looked out over the harvested fields they were again reminded of the father's secret. "What if we overlooked the treasure?" they thought to themselves and began to dig again. Without success. And again, they planted grain in the tilled earth, and … so it continued, until the sons had gotten used to this routine and had recognized, what kind of 'treasure' their father had left them.

Der Acker des Lebens

Einem braven Bauern hatte Allah nichts als faule Söhne geschenkt. Bevor er starb, rief er die faule und geldgierige Bande zu sich und sagte: „Meine Söhne! Ich weiß, ihr habt nichts für mein Land übrig, doch will ich euch ein großes Geheimnis verraten. Auf einem meiner Felder ist ein großer Schatz versteckt. Wenn ihr nach ihm grabt, wird er euch ewiges Glück bringen."

Der Vater war kaum eine Woche begraben, sah man die Söhne schon auf den Äckern stehen und in der Erde wühlen. Aber nichts war zu finden.

Da nun aber die Erde schon einmal umgegraben war, war es nicht mehr viel Mühe, Korn zu pflanzen.

Es wurde ein gutes Jahr mit reicher Ernte. Sie verkauften alles Getreide und erwirtschafteten einen schönen Gewinn.

Als sie nun über die abgeernteten Felder sahen, erinnerten sie sich wieder an das Geheimnis ihres Vaters. „Was, wenn wir den Schatz übersehen haben?" dachten sie sich und begannen wieder zu graben. Ohne Erfolg. Dafür bauten sie in der umgepflügten Erde wieder Getreide an, und ... so ging das weiter, bis sich die Söhne an diesen Kreislauf gewöhnt und erkannt hatten, welchen ‚Schatz' ihnen der Vater hinterlassen hatte ...

Hodscha and the New Stars

Hodscha taught his pupils to honor and use all things until they could truly no longer be used for anything.

"Do you mean," said one pupil, "that there is always someone who would be happy to get my old ragged clothes?" Hodscha nodded.

"And even my gnawed chicken bones," announced another pupil, "would make the dogs happy!"

Hodscha was very satisfied that the success of his instruction seemed promising.

"You see, Allah, in his eternal goodness, created everything, truly everything according to this principle!"

Then one pupil asked, "Master, and what happens with the full moon, after it disappears from the heavens?!"

"It is cut up into pieces. Every full moon yields exactly thirty nine stars!"

Hodscha und die neuen Sterne

Hodscha lehrte seine Schüler, alles so lange in Verwendung und in Ehren zu halten, bis es wirklich zu nichts mehr zu gebrauchen sei.

„Ihr meint damit", sagte einer der Schüler, „daß es immer noch jemanden gebe, der über meine alten zerfetzten Kleider glücklich wäre." Hodscha nickte.

„Und meine abgenagten Hühnerknochen", meldete sich ein anderer Student zu Wort, „erfreuen noch die Hunde!" Hodscha war sehr zufrieden, daß sein Unterricht Erfolg zu versprechen schien.

„Ihr seht, Allah hat in seiner allumfassenden Güte alles, wirklich alles, nach diesem Prinzip erschaffen!"

Da fragte einer: „Meister, und was passiert mit dem Vollmond, nachdem er vom Himmel verschwunden ist?!"

„Der wird aufgeschnitten. Jeder Vollmond ergibt exakt neununddreißig Sterne!"

Hodscha and the Bath

A new Turkish bath had been built in the city. On the opening day they invited all the citizens to visit it. A large crowd of people waited to be let in. Hodscha was one of them. But at the entrance there stood two guards apparently posted there by the owner to select who was welcome and who was not.

Hodscha observed what was going on for a while and realized that only those in beautiful, splendid robes were permitted in. Those in poor clothes were turned away.

Hodscha pondered a while and then came to the firm decision that he definitely wanted to visit the bath on its opening day.

He ran to a friend, borrowed some beautiful clothes, ran back to the bath, and was immediately and without ado allowed to enter.

Inside, everyone disrobed, wrapped themselves in identical white towels and then entered the hall with the hot tubs, where each was personally greeted by the owner.

Hodscha was the only one who carried his clothes under his arm and took them into the hall. He went up to the biggest tub and threw his clothes into the water.

The guests were shocked by this disturbance of the peace. The owner came and asked politely what it was supposed to mean.

"You know," Hodscha began to answer, "the fine clothing got me in here. It therefore has the right to enter the bath before me …"

Hodscha und das Bad

In der Stadt gab es ein neues türkisches Bad. Am Tag der Eröffnung lud man alle Bürger ein, es zu besuchen. Eine große Menge von Leuten wartete darauf, eingelassen zu werden. Auch Hodscha. Vor dem Eingang aber standen zwei Wärter, vom Besitzer dort augenscheinlich postiert, um auszuwählen, wer willkommen war und wer nicht.

Hodscha beobachtete das Treiben eine Zeitlang und erkannte, daß man nur die einließ, die in schöne, prächtige Gewänder gehüllt waren. Die in armseligen Klamotten wurden abgewiesen.

Hodscha sah an sich herunter und faßte den festen Entschluß, dieses Bad am Eröffnungstag besuchen zu wollen.

Er lief zu einem Freund, borgte sich von ihm dessen prächtigste Kleider, rannte damit zurück zum Bad und wurde sofort und ohne Umschweife eingelassen.

Hinter dem Eingang entledigten sich alle ihrer Kleider und betraten, alle in dasselbe weiße Handtuch gehüllt, die Halle mit den heißen Becken, wo jeder vom Besitzer persönlich begrüßt wurde.

Hodscha war der einzige, der seine Kleider unter dem Arm trug und in die Halle mitgenommen hatte. Er ging zu dem größten Becken und warf die Kleider in das Wasser.

Die Gäste waren entsetzt über diesen Störenfried. Der Besitzer kam und fragte höflich, was dies zu bedeuten habe.

„Wissen Sie", gab Hodscha zur Antwort, „die feinen Kleider haben mich hier hereingebracht. Sie haben also auch das Recht, vor mir ins Bad zu steigen ..."

Till and the Golden Hens

Once, a magnificent coach stopped in front of Till's paltry hut. A group of richly dressed men got out – probably businessmen.

"We are on the way to Jerusalem and have lost our way. Now, hunger has forced us to stop before your hut and request that you prepare a meal for us."

"Gladly," said Till, slaughtered two chickens and roasted the birds over the fire.

After the men had eaten, they drew forth their money pouches and asked about the price for the excellent meal.

"That makes – just a minute – two hundred pieces of gold per chicken, or four hundred together!"

The businessmen couldn't understand why the price was so high. "Dear Sir, according to the price chickens must be an extremely rare commodity in this area."

"Chickens are not rare in this area, but rich businessmen are ..."

Till und die goldenen Hühner

Einmal hielt eine prächtige Kutsche vor Tills armseliger Hütte. Eine Gruppe reich gekleideter Männer, wohl Kaufleute, stieg aus.

„Wir sind unterwegs nach Bagdad und vom Weg abgekommen. Nun hat uns der Hunger gezwungen, hier bei deiner Hütte haltzumachen und dich zu bitten, uns ein Mahl zu bereiten."

„Aber gern", sagte Till, schlachtete sofort zwei Hühner und briet die Vögel über dem Feuer.

Als die Herren gegessen hatten, zogen sie ihre Geldbeutel und fragten nach dem Preis für das vorzügliche Essen.

„Das macht – Moment – zweihundert Goldstücke pro Huhn, also vierhundert zusammen!"

Die Kaufleute konnten diesen Preis nicht fassen: „Lieber Mann, dem Preis nach zu schließen, müssen Hühner in dieser Gegend äußerst selten vorkommen!"

„Nicht Hühner sind selten in dieser Gegend, sondern reiche Kaufleute …"

Till and Learning

Till was working in the field. Suddenly he heard his young son calling him excitedly. "Papa, quick, I have a problem!"

"What happened this time?" said Till, a little perturbed, and ran to the house.

"Now, what is the problem?" he asked, rather out of breath. The boy beamed at his father. "Papa, how much is two times two?"

"What? You made me run all the way here to ask me that? Let's go. Follow me."

Till returned to the field. The boy trotted behind him.

When they arrived Till said, "Four."

Till und das Lernen

Till arbeitete auf dem Feld. Plötzlich hörte er seinen kleinen Sohn ganz aufgeregt nach ihm rufen: „Papa, schnell, es gibt ein Problem!"

„Was ist nun schon wieder passiert", maulte Till und rannte zum Haus.

„Nun, wo ist das Problem?" fragte er, ziemlich außer Atem.

Der Junge strahlte ihn an: „Papa, wieviel ist zwei mal zwei?"

„Was? Um mich das zu fragen, hast du mich den ganzen Weg hierher rennen lassen? Ich dachte, es sei etwas passiert. Los, komm mit."

Till ging zurück auf sein Feld. Der Kleine trottete hinterdrein. Als sie angekommen waren, sagte Till: „Vier."

From the
Judaic Tradition

*

Aus dem
Judentum

The Fox in the Herb Garden

A hungry fox was prowling around the neighborhood when he caught the scent of fresh herbs. He took off after it and before long he was standing in front of a large herb garden. But the herb garden was surrounded by a high wall – the fox was not able to climb over. He ran along the wall looking for an opening, and finally, he found one. The fox tried to slip through but he couldn't: he was too fat – or the hole too small. And the herbs smelled so wonderful, oh so wonderful.

So the fox had no other choice but to fast. He fasted one day, he fasted two days, he fasted three days, and finally he was thin enough to slip through the hole into the herb garden. Oh wow! – and how he stuffed himself with the herbs! He ate one day, he ate two days, he ate three days. Then he had enough herbs and wanted to slip out through the hole again ... but he couldn't: he had gotten too fat!

And freedom smelled so wonderful, oh so wonderful!

So the fox had no other choice but to fast again. He fasted one day, he fasted two days, he fasted three days – then he was thin enough again to slip though the hole to freedom.

Once he was outside he moaned, "Herb garden, herb garden, one comes to you hungry but also has to leave you hungry!"

Der Fuchs im Kräutergarten

Ein hungriger Fuchs streunte durch die Gegend. Da brachte ihm seine Nase den Duft von frischen Kräutern. Er lief los, und nach nicht allzu langer Zeit stand er vor einem großen Kräutergarten. Aber dieser Kräutergarten war umgeben von einer hohen Mauer – der Fuchs schaffte es nicht hinüberzuklettern. Er rannte an der Mauer entlang, um einen Durchschlupf zu finden. Und endlich – da war einer. Der Fuchs wollte schon hindurchschlüpfen ... aber er schaffte es nicht: er war zu dick – oder das Loch zu klein.

Und die Kräuter dufteten so herrlich, dufteten so herrlich!

Also blieb dem Fuchs nichts anderes übrig, als zu fasten. Er fastete einen Tag, er fastete zwei Tage, er fastete drei Tage, und endlich war er dünn genug, um durch das Loch in den Kräutergarten hineinzuschlüpfen. *Oho* – wie fraß er sich mit den Kräutern voll! Er fraß einen Tag, er fraß zwei Tage, er fraß drei Tage. Dann hatte er genug von Kräutern und wollte wieder durch das Loch hinaus ... aber er schaffte es nicht: er war wieder zu dick geworden!

Und die Freiheit duftete so herrlich, duftete so herrlich!

Also blieb dem Fuchs nichts anderes übrig, als wieder zu fasten. Er fastete einen Tag, er fastete zwei Tage, er fastete drei Tage – dann war er wieder dünn genug, um durch das Loch in die Freiheit zu schlüpfen.

Als er draußen war, jammerte er: „Kräutergarten, Kräutergarten, hungrig kommt man zu dir, und hungrig muß man dich wieder verlassen!"

The Fox as a Lawyer

One day, the animals became very angry at their king. They all got together, complained and clenched their paws.

But they were afraid – of the king. So they agreed to hire a lawyer who would present their complaints to the lion.

But this was a very difficult matter.

The owl was too wise.

The deer too weak.

The giraffe carried his head too high.

Then the fox stepped up and said, "People, hire me as your lawyer."

"No, fox," shouted the animals, "you are too sly for us!"

"But friends, I have three hundred tales to tell! They will certainly appease the lion."

"Three hundred tales? That's a lot. Fine then, we'll hire you to be our lawyer!"

Then the whole horde set out with the fox in the lead. They hadn't gone very far when the fox suddenly stopped. "Good heavens! I don't know how, but I just forgot a hundred tales!"

"How strange to forget a hundred tales. But two hundred tales is still a whole lot. That will certainly be plenty enough for the lion." And they went on. But after just a short time the fox stopped again.

"I don't understand it myself, but I just forgot another hundred tales."

"Hmm, one hundred tales is not very many. It's going to be close. But now we are almost at our destination. Come, let's give it a try," shouted the animals and went on.

The lion's den lay before them. They entered and assembled before the royal throne. The fox stepped forward and was

Der Fuchs als Anwalt

Einmal gerieten die Tiere in großen Zorn über ihren Herrscher. Sie kamen zusammen, berieten sich, ballten die Pfoten. Aber sie hatten Angst – vor dem Herrscher. So kamen sie überein, sich einen Anwalt zu nehmen, der ihre Sache vor dem Löwen vertreten sollte.

Doch dies war eine sehr schwierige Sache.

Die Eule war zu klug.

Das Reh zu schwach.

Die Giraffe trug ihren Kopf zu weit oben.

Da trat der Fuchs vor das Volk und sagte: „Leute, nehmt mich zu eurem Anwalt."

„Nein, Fuchs", riefen die Tiere, „du bist uns zu schlau!"

„Aber, Freunde, ich weiß dreihundert Märchen zu erzählen! Die werden den Löwen sicherlich besänftigen."

„Dreihundert Märchen? Das ist viel. Gut, Fuchs, wir nehmen dich zu unserem Anwalt!"

Nun zog die ganze Horde los. Allen voran der Fuchs. Sie waren noch nicht lange unterwegs, als der Fuchs plötzlich anhielt. „Himmel und Hölle! Ich weiß nicht, wieso, aber eben habe ich einhundert Märchen vergessen!"

„Na ja, zweihundert Märchen sind auch noch eine ganze Menge. Für den Löwen werden sie sicher ausreichend sein."

Und sie zogen weiter. Aber schon nach kurzer Zeit stoppte der Fuchs wieder.

„Ich kann es mir selbst nicht erklären, aber gerade habe ich wieder einhundert Märchen vergessen."

„*Hm*, hundert Märchen sind nicht mehr besonders viel. Das wird knapp. Aber nun sind wir schon fast am Ziel. Kommt, laßt es uns versuchen!", riefen die Tiere und zogen weiter.

Vor ihnen lag die Höhle des Löwen. Sie traten ein und sammelten sich vor dem Herrscherthron. Der Fuchs trat vor und wollte mit seiner Anklage beginnen, als er sich plötzlich die

about to present his case when suddenly he slapped his forehead with his paw and cried out, "My god! I just forgot the last hundred tales!" and added slyly, "Now, each one of you must present your own complaints!" And with that, he disappeared from the den and was never seen again …

Pfote auf die Stirn schlug und aufschrie: „Mein Gott! Soeben habe ich die letzten hundert Märchen vergessen!" – und schelmisch fügte er hinzu – „nun muß ein jeder von euch seine Beschwerden selbst vorbringen!" – Und damit verschwand er aus der Höhle und wurde nie mehr gesehen ...

The Spoons

One day a wise rabbi went to God and said, "Lord, I have a problem. My students ask me how to tell the difference between heaven and hell. No answer occurs to me, because I know neither of them. Can you help me?"

"Of course, my friend, come along with me!" God took the rabbi by the hand and led him into a large room. A fire was burning in the middle of the room and a delicious soup was simmering above the fire. Many people were sitting around the kettle – with long spoons in their hands.

But – the people looked sick, hungry and miserable.

"Why is that?" asked the rabbi and looked closely – then he saw why. The spoons the people held in their hands were too long to get the soup to their mouths.

"Where am I now?" asked the rabbi.

"This, my friend, is hell!"

Then God took the rabbi by the hand and led him to another room. The same scene: a fire, a kettle of delicious soup, many people around the fire – with long spoons in their hands.

But – these people looked full, healthy and satisfied.

"Why is that?" asked the rabbi – and looked more closely – then he saw why. These people shared their food and fed each other!

"Do you realize where you are now?" smiled God, "This is heaven!"

Die Löffel

Eines Tages kam ein weiser Rabbi zu Gott und sagte: „Herr, ich habe ein Problem. Meine Schüler fragen mich, wie man den Himmel von der Hölle unterscheiden könne. Da ich beides nicht kenne, fällt mir keine Antwort dazu ein. Kannst du mir nicht helfen?"

„Klar, mein Freund, komm mit!" Und Gott nahm den Rabbi bei der Hand und führte ihn in einen großen Saal. In der Mitte des Saales brannte ein Feuer. Auf dem Feuer brodelte eine köstliche Suppe. Um den Topf saßen viele Menschen – mit langen Löffeln in ihren Händen.

Aber – die Menschen sahen krank, hungrig und elend aus.

„Wie kommt das?", fragte der Rabbi und schaute genau – da sah er es: die Löffel in den Händen der Menschen waren zu lange, um sie in den Mund zu bringen.

„Wo bin ich denn hier?", fragte der Rabbi.

„Das, mein Freund, ist die Hölle!"

Und Gott nahm den Rabbi bei der Hand und führte ihn in einen anderen Raum. Die gleiche Szene: ein Feuer, Topf mit einer köstlichen Suppe, viele Menschen um das Feuer – mit langen Löffeln in ihren Händen.

Aber – diese Menschen sahen satt, gesund und zufrieden aus.

„Wie kommt denn das?", fragte der Rabbi und schaute genau – da sah er es: diese Menschen fütterten einander, gaben sich gegenseitig zu essen!

„Ahnst du, wo du hier bist?", lächelte Gott, „das ist der Himmel!"

The Butterfly

A young, arrogant student of the Talmud had heard of a very wise rabbi. "I shall give the rabbi a problem that he will not be able to solve. I shall ask him if the butterfly in my hand is dead or alive. If the rabbi answers – it is dead – I'll open my hand and the butterfly will fly to freedom. If the rabbi answers – it is alive – one little clench of the fist, and the butterfly is dead."

"Well, rabbi, what do you think? Is the butterfly in my hand dead or alive?!"

The rabbi thought it over and then he said, "The answer, my son, lies in your hand …"

Der Schmetterling

Ein junger, von sich selbst eingenommener Talmudschüler hatte von einem sehr weisen Rabbi gehört. „Ich werde dem Rabbi eine Aufgabe stellen, die er nicht lösen wird können. Ich werde ihn fragen, ob der Schmetterling in meiner Hand tot oder lebendig ist. Antwortet der Rabbi mit – er ist tot –, öffne ich die Hand, und der Schmetterling fliegt in die Freiheit. Antwortet der Rabbi – er lebt –, ein kleiner Faustdruck, und der Schmetterling ist tot."

„Nun, Rabbi, was meint Ihr? Ist der Schmetterling in meiner Hand tot oder lebendig?"

Der Rabbi überlegte, und dann sagte er: „Das, mein Sohn, liegt in deiner Hand ..."

Hasidic Problem

A young, excited pupil came to his rabbi. "Rabbi, I have a problem. I have been thinking about it for days but no solution occurs to me."

"Tell me, what is your problem?"

"It's … it's very awkward for me to talk about it. One shouldn't talk about such things in your presence."

"You can talk to me about everything. So, what is it?"

"Rabbi, you explained to me once that everything in the world is in harmony – has a deeper meaning. Now there is something that just doesn't fit into this picture. I … how should I say it … well, I can't figure out why a fart stinks. Just the sound alone would be enough."

"So that's what was so difficult for you to get across your lips. Well, my son, I can put your mind at ease. God has even thought of this. Farts stink so that even deaf people can enjoy them … "

Chassidisches Problem

Ein junger, aufgeregter Schüler kam zu seinem Rabbi: „Rabbi, ich habe ein Problem. Ich denke seit Tagen darüber nach, aber es will mir keine Lösung einfallen."

„Sprich, um welches Problem handelt es sich?"

„Es ist … es ist mir sehr unangenehm, es auszusprechen. In Eurer Gegenwart spricht man nicht über solche Dinge."

„Du kannst mit mir über alles sprechen. Also, was ist es?"

„Rabbi, Ihr habt mir doch einmal erklärt, alles in der Welt ist in Harmonie, hat einen tieferen Sinn. Nun gibt es aber etwas, was in dieses Bild nicht passen will. Es ist … wie soll ich es sagen … nun: es ist nicht einzusehen, warum ein Furz stinkt. Es würde doch auch sein Geräusch genügen."

„Das also ist es, was so schwer über deine Lippen ging. Aber, mein Sohn, ich kann dich beruhigen. Gott hat sich auch dabei etwas gedacht: der Furz stinkt, damit auch die tauben Menschen ihr Vergnügen daran haben …"

The Thief

It happened in Baghdad, and probably no one would have ever heard about it had the whole thing not had such a miraculous ending.

A Jew was caught stealing. It wasn't much – a few loaves of bread for his seven hungry children – but he was a Jew and it happened in Baghdad.

The court tried the case quickly and the Jew was sentenced to death.

The hangman led the Jew to the gallows. The noose was already around his neck when the hangman remembered his duty and asked, "Do you have a last wish, Jew?"

"Well, what could I wish for myself? I'll be dead in a minute. It's just too bad about my secret!"

The hangman moved over a little closer. "A secret? What kind of a secret?" – The Jews were known for telling some remarkable things. – "Oh, Mr. Hangman, I know a big secret. It would certainly have pleased our sultan. What a pity."

The hangman thought to himself: If the Jew really knows a secret, and I bring him to the sultan, and the sultan likes the secret, then something may even be in it for me. And he thought: Death is not a little bird; it won't fly away from me. I can still hang the Jew tomorrow! – "Fine, Jew, I'll bring you to the sultan!"

When the sultan heard this strange story, he actually did send for the Jew. The royal advisors had to leave the room, and then the sultan called the condemned man to come closer. "Well, Jew, what kind of a secret is it?"

"Most honorable Sultan," said the Jew, "my secret is the secret of the apple tree!"

Der Dieb

Es geschah in Bagdad, und wahrscheinlich hätte nie jemand davon erfahren, hätte die ganze Sache nicht ein wunderbares Ende genommen.

Ein Jude war bei einem Diebstahl entdeckt worden. Es war nicht viel gewesen – ein paar Fladen für seine sieben hungrigen Kinder – aber er war Jude, und es geschah in Bagdad.

Das Gericht verhandelte schnell, und der Jude wurde zum Tode verurteilt.

Der Henker führte den Juden zum Galgen. Die Schlinge lag schon um den Hals, als der Henker sich seiner Pflicht erinnerte und fragte: „Noch einen letzten Wunsch, Jude?"

„Ajaj, was soll ich mir wünschen? Bin ich doch gleich tot. Es tut mir nur um mein Geheimnis so leid!"

Der Henker rückte ein Stückchen näher heran: „Ein Geheimnis? Was für ein Geheimnis?" – Von Juden hatte man ja die merkwürdigsten Dinge gehört. – „Ach, Henker, weißt du, ich kenne ein gutes Geheimnis. Das hätte unserem Sultan sicherlich gefallen. Schade drum."

Nun dachte sich der Henker: Wenn der Jude wirklich ein Geheimnis kennt, und ich bringe ihn zum Sultan, und dem Sultan gefällt das Geheimnis, dann springt vielleicht sogar für mich dabei was ab. Und er dachte sich: Der Tod ist kein Vögelchen, der fliegt mir nicht davon, ich kann den Juden auch noch morgen hängen! – „Gut, Jude, ich bringe dich zum Sultan!"

Als der Sultan von dieser merkwürdigen Geschichte hörte, ließ er den Juden wirklich zu sich kommen. Der Hofstaat mußte den Saal verlassen, dann winkte der Herrscher den zum Tode Verurteilten nah an sein Ohr: „Also, Jude, was ist das für ein Geheimnis?"

„Hochverehrter Sultan", sagte der Jude, „mein Geheimnis ist das Geheimnis des Apfelbaumes!"

"Of the apple tree? Oh yes, the apple tree. "

"Most honorable Sultan! I know how to put a single seed into the ground so that by the next morning a big blossoming apple tree is growing!"

The sultan had all kinds of treasures in his vault but such a secret would be a nice addition. And he thought to himself: Death is not a little bird, it won't fly away from me, I can still have the Jew hanged tomorrow. "Fine, Jew, we'll give your secret a try!"

The next morning the entire court assembled in the sultan's garden. The Jew dug a hole, took the apple seed and said, "This seed must now be put into the ground so that a big blossoming apple tree will grow from it by tomorrow morning. But only he who has never stolen anything in his whole life may plant the seed. I am a thief, as you know, so I cannot do it. Please, sultan, choose someone from your royal court to plant the seed."

The sultan understood completely. And he also had the right person – his closest confidant, the chancellor. "Chancellor, come, you plant the seed."

The chancellor took it, put it into the ground, and the Jew filled in the hole. The next morning everybody met again in the sultan's garden. But, except for some freshly dug up dirt, nothing could be seen where the seed had been planted.

"Jew," roared the sultan, "you are not only a thief, but also a liar. Now you will suffer much worse than death."

"My Sultan," the Jew defended himself, "I'll stand by my secret. The reason it didn't work possibly lies with your chancellor."

The sultan looked astonished and confused at his chancellor, who stared at the floor ashamed. Then he said, "The Jew is right, honorable Sultan. Many, many years ago, I kept a coin which had fallen from the table. I realize now for the first time – I stole it back then ... "

„Des Apfelbaumes? Aha, des Apfelbaumes."

„Hochverehrter Sultan! Ich weiß, wie man ein Samenkorn eines Apfelbaumes in die Erde wirft, damit daraus am nächsten Morgen ein großer, blühender Apfelbaum wächst!"

Der Sultan hatte alle Schätze in seiner Schatzkammer, aber so ein Geheimnis hätte ihm schon gefallen. Und er dachte sich: Der Tod ist kein Vögelchen, der fliegt mir nicht davon, ich kann den Juden auch noch morgen hängen lassen. „Gut, Jude, wir probieren dein Geheimnis aus!"

Am nächsten Morgen versammelte sich der ganze Hofstaat im Garten des Sultans. Der Jude hob eine Grube aus, nahm ein Samenkorn und sprach: „Dieses Samenkorn muß nun in die Erde geworfen werden, damit daraus bis zum nächsten Morgen ein großer, blühender Apfelbaum erwächst. Aber: nur derjenige, der noch nie in seinem Leben etwas gestohlen hat, darf das Samenkorn in die Erde werfen. Ich bin ein Dieb, Ihr wißt, ich kann es nicht tun. Bitte, Sultan, wählt Ihr jemanden aus Eurem Hofstaat, der das Samenkorn in die Erde wirft."

Das leuchtete dem Sultan ein. Und einen geeigneten Mann hatte er auch – seinen engsten Vertrauten, den Kanzler. „Kanzler, komm, wirf du das Samenkorn in die Erde."

Der Kanzler nahm es, warf es in die Erde, der Jude schüttete die Grube zu. Am nächsten Morgen trafen sich wieder alle im Garten des Sultans. Aber außer etwas aufgewühlter Erde war am Platz der Pflanzung überhaupt nichts zu sehen.

„Jude", brüllte der Sultan, „du bist nicht nur ein Dieb, sondern auch ein Lügner. Nun sollst du einen noch viel schlimmeren Tod erleiden!"

„Mein Sultan", verteidigte sich der Jude, „für das Wunder stehe ich gerade. Daß es nicht geklappt hat, liegt wahrscheinlich an Eurem Kanzler."

Der Sultan blickte erstaunt und verwirrt zu seinem Kanzler, und der schaute beschämt zu Boden. Dann sagte er: „Der Jude hat recht, ehrenwerter Sultan. Vor vielen, vielen Jahren hatte ich eine Münze an mich genommen, die vom Tisch gefallen war. Jetzt erst erkenne ich – ich hatte sie damals gestohlen …"

173

The sultan looked around at his advisors. "If even my chancellor deceives me – treasurer, what about you? Come, put the seed in the ground!"

The treasurer, who had just witnessed what had happened, didn't want to embarrass himself, so he admitted right away, "Oh, Sultan, the temptation is so great around all these treasures. It's not surprising that one time I could not resist and took a gold ring for myself. I beg your forgiveness, please forgive me!"

The sultan turned as red as an apple, looked around enraged and was about to pick the next one, – when suddenly, the Jew said, "Sultan, don't choose any more of your advisors. With such a difficult matter you can only trust … yourself. You and only you should plant the seed."

Silence – not even a breath could be heard. Then the sultan said very quietly, "I too am not free of guilt. As a child I often took candy from the cook's cupboards. It was stealing; it did not belong to me. Jew, now I understand what your greatest secret is: your cleverness, your wisdom. I grant you your life! You are free!"

In addition to that the sultan ordered that the Jew be given a donkey completely loaded with food. And so, on that evening, for the first time, the Jew and his family could go to bed with a full stomach.

Der Sultan blickte in die Runde seines Hofstaates. „Wenn mein Kanzler mich schon betrügt – Schatzmeister, wie sieht es mit dir aus!? Komm, wirf das Samenkorn in die Erde!"

Der Schatzmeister, der gerade miterlebt hatte, wie es dem Kanzler ergangen war, wollte sich nicht blamieren, sondern sagte gleich: „Oh, Sultan, die Versuchung bei all diesen Schätzen ist so groß. Wen wundert es, daß ich einmal nicht widerstehen konnte und einen goldenen Ring an mich genommen habe. Ich flehe Euch an, verzeiht mir, verzeiht mir!"

Der Sultan war apfelrot angelaufen, blickte wütend in die Runde und wollte schon den nächsten wählen – als der Jude plötzlich sagte: „Sultan, wählt keinen mehr aus Eurem Hofstaat. Bei einer so schwierigen Sache könnt Ihr nur … Euch selbst vertrauen. Werft Ihr das Samenkorn in die Erde."

Schweigen – kein Atem war zu hören. Dann sagte der Sultan ganz leise: „Auch ich bin nicht frei von Schuld. Als Kind hatte ich mir oft Süßwaren aus den Kästen der Köche geholt. Es war Diebstahl, sie gehörten nicht mir. Jude, jetzt sehe ich, was dein größtes Geheimnis ist: deine Klugheit, deine Weisheit. Ich schenke dir das Leben! Du bist frei!"

Obendrein befahl der Sultan, dem Juden noch einen Esel, vollbepackt mit Essen, mitzugeben. So konnten der Jude und seine Familie an diesem Abend zum ersten Mal mit vollem Bauch zu Bett gehen …

Curious Geysel

Chelm is a peculiar city. And the most peculiar person in Chelm was Geysel. You can just imagine how peculiar this Geysel must have been. Geysel was a shoemaker and an incurably curious fellow. Due to his curiosity, it often took him weeks to finish one shoe. Because around every corner something was lurking which kept him from his work. If he went to town to buy leather or straps, he was certain not to get back home before evening. He would stop and stare through open doors, he picked up just about anything on the street, and he eavesdropped on anybody he could get close to.

One afternoon Geysel was in town again. He passed two men on a street corner, strangers as it seemed, who were discussing something. Naturally, Geysel stopped and pricked up his ears. The two men were talking about a city. It had to be a wonderful city. Each tried to outdo the other in his description. And Geysel's ears got bigger and bigger and he became more and more excited. "And the beautiful avenues!" said the one. "And what's more, the incredible people!" raved the other. By now, Geysel had come very close to them and was almost glued to their lips. Finally, he heard the name of this extraordinary city; It was Warsaw!

Dazed by these amazing stories, Geysel hurried home, and everything he had heard about Warsaw was spinning in his head. By the time he came through the door of his house he had already made a firm decision: He wanted – no – he had to go to Warsaw!

His wife, Frodel, was busy preparing for the Sabbath when Geysel entered the kitchen, completely beside himself.

"Frodel," he said, "I have to go to Warsaw!"

Der neugierige Geysel

Chelm ist eine sonderbare Stadt. Und der sonderbarste Mensch von Chelm war der Geysel. Ihr könnt euch also vorstellen, wie sonderbar dieser Geysel gewesen sein muß! Der Geysel war ein Schuster. Und ein krankhaft neugieriger Mensch. Wegen seiner Neugierde brauchte es oft Wochen, bis er einen Schuh gefertigt hatte. Denn immer und überall lauerte etwas, das ihn von seiner Arbeit abhielt. Ging er in die Stadt, um Leder oder Bänder zu kaufen, kam er sicher nicht vor Abend heim. Er blieb stehen und starrte durch offene Türen, er fand irgend etwas auf der Straße, oder er stellte sich zu irgendwelchen Menschen und lauschte.

An einem Nachmittag war der Geysel wieder mal unterwegs. An einer Straßenecke kam er an zwei Männern vorbei, Fremde, wie es schien, die sich unterhielten. Natürlich blieb unser Geysel stehen und spitzte seine Ohren. Die beiden Männer unterhielten sich über eine Stadt. Es mußte eine wunderbare Stadt sein. Jeder bemühte sich, den anderen in seiner Schilderung zu übertreffen. Und die Ohren des Geysels wurden immer größer, und er wurde immer aufgeregter. „Und diese Straßen!", sagte der eine. „Und erst diese unglaublichen Menschen!", schwärmte der andere. Und der Geysel war den beiden schon ganz nah gekommen, fast klebte er an ihren Lippen. Endlich hörte er auch den Namen dieser außergewöhnlichen Stadt: es war Warschau!

Wie benommen von diesen wunderbaren Erzählungen schlich der Geysel nach Hause, und in seinem Kopf drehte sich alles nur noch um Warschau. Als er über die Schwelle seines Hauses trat, hatte er bereits einen festen Entschluß gefaßt: Er wollte, nein, er mußte nach Warschau gehen!

Seine Frau, die Frodel, war gerade mit den Vorbereitungen für Sabbat beschäftigt, als der Geysel völlig verstört die Küche betrat. „Frodel", sagte er, „ich muß nach Warschau!"

177

"For goodness sakes, what has happened to you?" she moaned, "And what do you want to do in Warsaw? Don't you like our Chelm anymore?"

"Yes, of course, but what is Chelm compared to this city? Frodel, I tell you. I can't live another day without seeing this city."

"And me? And the children? What will become of us?"

"But I'll come back again soon. I'll go to Warsaw, take a good look at everything and be back again in two or three days, at the very latest. And I'll bring all of you presents."

Frodel realized that there was no sense in trying to stop him. She packed all the necessary things for the trip.

Geysel was on his way even before daybreak. He marched along quickly and was in a better mood than he had been in a long time. He was happy, sang, and had a big smile for everyone he met. After some time, however, his feet began to hurt, and besides that, his stomach began to crave a snack.

Geysel sat down in the grass, loosened his belt, took off his shoes, ate some bread and drank a little from his water bottle.

"Now I'd like to take a little nap," he said to himself, "and why not? Warsaw is not going to run away! I'll just get there a few hours later."

So he leaned back and closed his eyes. "Stop," – it suddenly occurred to him – "what if I wake up and don't remember which direction to go. I know you, Geysel, I know you all too well!"

Then he saw his shoes standing in front of him. "Yes, that's a simple but good idea. I'll put the shoes so that their toes point toward Warsaw and the heels toward Chelm. Are you ever a clever fellow, Geysel!" he said, turned on his side and fell asleep.

Hardly ten minutes had passed when a wagon loaded with

„Um Himmels willen, was ist mit dir geschehen", jammerte sie, „und was willste denn in Warschau? Gefällt dir unser Chelm nicht mehr?"

„Doch, doch, aber was ist Chelm gegen diese Stadt? Frodel, ich sage dir, ich kann nicht mehr leben, ohne diese Stadt gesehen zu haben."

„Und ich? Und die Kinder? Was soll aus uns werden?"

„Aber ich komme doch bald wieder zurück. Ich gehe nach Warschau, schau' mir alles genau an und bin spätestens in zwei oder drei Tagen wieder zurück. Und ich bringe euch allen Geschenke mit!"

Die Frodel sah ein, daß es keinen Sinn hatte, den Geysel aufzuhalten – sie packte ihm die notwendigsten Sachen für die Reise ein.

Schon vor Tagesanbruch war der Geysel unterwegs. Er marschierte flott dahin und war gut gelaunt, wie schon lange nicht mehr. Er freute sich und sang und hatte für jeden, der ihm begegnete, ein Lachen übrig. Nach einiger Zeit aber begannen seine Füße zu schmerzen, und außerdem begann sein Magen, nach der Jause zu verlangen.

Der Geysel setzte sich ins Gras, lockerte den Gürtel, zog sich die Schuhe aus, aß den Fladen und trank einen Schluck aus der Wasserflasche.

„Jetzt hätte ich Lust auf ein Nickerchen", sagte er vor sich hin, „warum eigentlich nicht. Warschau läuft mir nicht davon! Komm ich eben ein paar Stunden später hin."

Er lehnte sich also zurück und schloß die Augen. „Halt", durchzuckte es ihn plötzlich, „was, wenn ich aufwache und nicht mehr weiß, in welche Richtung ich zu gehen habe. Ich kenne dich ja, Geysel, ich kenne dich!"

Da sah er vor sich seine Schuhe stehen. „Ja, das ist eine einfache, aber gute Idee. Ich stelle die Schuhe so, daß ihre Spitzen nach Warschau zeigen und die Fersen nach Chelm. Bist doch ein kluges Kerlchen, Geysel", sagte er, drehte sich zur Seite und schlief ein.

Keine zehn Minuten waren vergangen, holperte ein mit Rei-

brushwood came bumping along. That's when the misfortune occurred. With Geysel asleep, a long twig got tangled in his shoes and when the wagon had passed, the toes of his shoes were pointing toward Chelm and the heels toward Warsaw.

But Geysel didn't notice a thing. He was in the middle of a wonderful dream. He had been invited to a wedding. A big spectacular wedding with lots of happy people. They were eating and drinking, laughing and dancing, and in the middle of it all – Geysel. He was so happy dancing away with a beautiful woman, dancing so hard that he bumped into a table and …

And woke up.

Startled, he jumped up and knew neither where he was nor how he had gotten there. "Warsaw! Yes, I'm on my way to Warsaw." But as he had predicted, he couldn't remember which way to go. Then he saw his shoes! "Oh, Geysel, you clever fellow. Now I remember. The toes toward Warsaw, the heels toward Chelm! The toes toward Warsaw, the heels toward Chelm!" And he quickly put on his shoes and marched off in the direction that the shoe tips had shown him.

After a short time he stood before the gates of a city. "Strange," thought Geysel, "Warsaw is much closer than I had thought!" He took a deep breath and entered the wonderful, incredible city of his dreams! He walked through the streets, looked at the houses, and stopped in front of the shops. "Warsaw is really unique," he repeated to himself over and over again, "but everything seems so familiar. It feels just like home." So it didn't surprise him when suddenly he was standing in front of the synagogue. He found it on exactly the same square it was on in his hometown of Chelm. He went in and nearly cried out with joy. The synagogue attendant in Warsaw looked like the one in Chelm, as one egg resembles another. Even the people he met in the synagogue all seemed so familiar to him.

sig beladener Wagen heran. Da geschah das Unglück: Während der Geysel schlief, verfing sich ein langer Zweig in seinen Schuhen, und als der Wagen vorüber war, da zeigten die Spitzen nach Chelm und die Fersen nach Warschau.

Doch von all diesen Dingen bemerkte der Geysel nichts. Er träumte gerade einen wunderbaren Traum: er war zu einer Hochzeit eingeladen. Eine große, prunkvolle Hochzeit mit vielen fröhlichen Menschen. Es wurde gegessen und getrunken, gelacht und getanzt. Und mittendrin – der Geysel. Er war so glücklich, nicht nur, weil er gerade mit einer schönen Frau wild tanzte. So wild tanzte, daß er dabei an einen Tisch anschlug und ...

Und erwachte.

Er schreckte hoch, wußte weder, wo er sich befand, noch, wie er hierhergekommen war. „Warschau! Ja, ich bin auf dem Weg nach Warschau." – Aber so wie er es vorausgesehen hatte, wußte er nicht mehr, in welche Richtung er gehen sollte. Da sah er seine Schuhe! „Oh, Geysel, du kluger Kerl. Jetzt kann ich mich erinnern. Die Spitzen nach Warschau, die Fersen nach Chelm! Die Spitzen nach Warschau, die Fersen nach Chelm!" Und rasch zog er seine Schuhe an und marschierte in die Richtung, die ihm die Schuhspitzen gezeigt hatten.

Nach gar nicht langer Zeit stand er vor den Toren einer Stadt. „Seltsam", dachte sich der Geysel, „Warschau ist viel näher, als ich dachte!" Er atmete tief durch und betrat die wunderbare, unglaubliche Stadt seiner Träume! Er lief durch die Straßen, betrachtete die Häuser und blieb vor den Buden stehen. „Warschau ist wirklich einmalig", sagte er immer wieder vor sich hin, „es kommt einem alles so bekannt vor, man fühlt sich gleich wie zu Hause." So wunderte es ihn gar nicht, daß er plötzlich vor der Synagoge stand. Er fand sie genau an dem Platz, an dem sie auch in seiner Heimatstadt Chelm war. Er trat ein und schrie fast auf vor Entzücken: der Synagogendiener von Warschau glich dem Synagogendiener von Chelm wie ein Ei dem anderen. Auch die Leute, die er in der Synagoge traf, kamen ihm alle so bekannt vor.

"The merchants that I overheard before were right. Warsaw is a city full of wonders!"

He walked farther and wanted to see everything: the streets, that looked so different than those in boring old Chelm; the houses, which were much more nicely decorated than those in that boring Chelm; the shops, which sold completely different things than in that boring Chelm. And he walked and walked, and his feet, as if on their own, led him to the street where in Chelm his house stood. And in fact – there it stood! Geysel was completely beside himself. He opened the gate and saw four children playing in the yard. If he had not been so sure that he was in Warsaw, he would have called them by name: Josi, Jankele, Oded and Rebecca!

Then the front door opened and out stepped a woman. Geysel froze. Was it her or wasn't it? But before he could answer his own question, the woman cried out, "Children, Geysel is home again, Geysel is home again!" And the children came running and took Geysel by the hand and led him into the house, to the table, to the very place where he always sat in his house in Chelm. The woman brought his favorite food – "To welcome you," as she put it.

Geysel didn't understand a thing. What if the Warsaw Geysel suddenly comes through the door," he thought, "and they discover that I am not at all the one they think I am?" But the food smelled so good, and the woman and the children were so friendly, so he stayed and ate. And waited for the Warsaw Geysel. But he didn't come. The children had already gone to bed and now the woman was calling him from the bedroom, "Come now, Geysel, come on!" And so he went on into the bedroom. "As late as it is, he surely won't show up – that other Geysel" – and he closed the door behind him.

The next morning the Warsaw Geysel still hadn't come. Not even after a week.

"I'll stay," said the Chelm Geysel to himself. In the first place,

„Die Kaufleute, denen ich damals zuhörte, hatten recht: Warschau ist eine Stadt voller Wunder!"

Er lief weiter, wollte alles sehen, die Straßen, die so anders aussahen als in diesem langweiligen Chelm, die Häuser, die viel hübscher herausgeputzt waren als in diesem langweiligen Chelm, die Buden, die ganz andere Waren anboten als in diesem langweiligen Chelm. Und er lief und lief, und seine Füße führten ihn wie von allein zu der Straße, in der in Chelm sein Haus stand. Und wirklich – da stand es! Der Geysel war einfach fassungslos. Er öffnete das Tor und sah im Garten vier Kinder spielen. Hätte er nicht ganz genau gewußt, daß er sich in Warschau befand, er hätte sie beim Namen rufen können, den Josi, den Jankele, den Oded und die Rebecca!

Da ging die Haustür auf, und heraus trat eine Frau. Der Geysel erstarrte: war sie's nun, oder war sie's nicht? Aber bevor er sich selbst eine Antwort geben konnte, rief die Frau: „Kinder, der Geysel ist wieder da, der Geysel ist wieder da!" Und die Kinder kamen gelaufen und nahmen den Geysel bei der Hand und führten ihn ins Haus, an den Tisch, genau an den Platz, an dem er auch in seinem Haus in Chelm immer saß. Die Frau brachte sein Lieblingsessen auf den Tisch – „zur Begrüßung", wie sie sagte.

Der Geysel verstand nichts mehr. „Was, wenn plötzlich der Warschauer Geysel bei der Tür hereinkommt?", dachte er sich, „und man entdeckt, daß ich gar nicht der bin, für den sie mich halten?" Aber das Essen duftete, und die Frau und die Kinder waren so freundlich, und so blieb er sitzen und aß. Und wartete auf den Warschauer Geysel. Aber der kam nicht. Die Kinder waren schon zu Bett gegangen, und die Frau rief jetzt aus dem Schlafzimmer nach ihm: „Geysel, komm, so komm doch!" – na, ging er eben in das Schlafzimmer – „der kommt heute sicher nicht mehr, der andere Geysel" – und schloß hinter sich die Tür.

Am nächsten Morgen war der Warschauer Geysel noch immer nicht da. Auch nach einer Woche nicht.

„Ich bleibe", sagte sich der Chelmer Geysel, „erstens wäre es

it would be stupid to leave now when everything is going so well for me here, and secondly, there would certainly be nothing but trouble at home since I've already been away so long. Besides, I still don't have any gifts."

So the Chelm Geysel stayed in Warsaw and waited his whole life to meet the Warsaw Geysel.

In vain.

jetzt dumm zu gehen, wo es mir doch hier so gut geht, und zweitens würde es zu Hause sicher nur Streit geben, weil ich schon so lange weg bin. Und Geschenke habe ich auch noch keine."

So blieb der Chelmer Geysel in Warschau und wartete bis an sein Lebensende darauf, den Warschauer Geysel kennenzulernen.

Vergebens.

The Temple of Brotherly Love

The Temple of Brotherly Love stands today where there was once a cornfield. It belonged to two brothers. They had each inherited half of the land from their father.

One brother was rich but had no family. The other brother was poor but had five children.

The rich brother looked over at his poor brother and thought, "He could really use a little more. But I know him; he would never accept anything from me."

So he snuck over to his brother's field during the night to take him a few bundles of wheat.

Meanwhile, the poor brother stood at his children's beds and thought, "How rich I am! My poor brother has no-one. Only his wealth. I would like to increase it, but he would never accept anything from me."

So the poor brother snuck out to his field, loaded up a few bundles of wheat and took them over to his brother's field.

The next morning they were both amazed that no wheat was missing from their fields.

This continued for several nights, and each morning there was never a single grain of wheat missing.

One night they were both on their way to their brother's field with a bundle of wheat on their backs when they ran into each other ...

And then God knew where the Temple of Brotherly Love should be built!

Der Tempel der Bruderliebe

Wo heute der Tempel der Bruderliebe steht, war einst ein Acker. Der gehörte zwei Brüdern. Jeder hatte eine Hälfte des Landes vom Vater geerbt.

Der eine Bruder war reich und ohne Familie. Der andere Bruder war arm und hatte fünf Kinder.

Der reiche Bruder sah hinüber zum armen Bruder und dachte sich: „Er könnte wohl ein bißchen mehr gebrauchen. Aber ich kenne ihn, er würde nichts von mir annehmen."

Also schlich er in der Nacht hinüber, auf das Feld des Bruders und brachte ihm einige Getreidebündel.

Der arme Bruder stand indessen an den Betten seiner Kinder und dachte sich: „Wie reich ich doch bin! Mein armer Bruder hat niemanden. Nur seinen Reichtum. Ich möchte ihm helfen, aber er würde natürlich niemals etwas von mir annehmen."

Also schlich auch der arme Bruder in dieser Nacht auf sein Feld, packte einige Getreidebündel und brachte sie hinüber, auf das Feld seines Bruders.

Am nächsten Morgen wunderten sich beide, wieso auf ihrem Feld kein Getreide fehlte.

So ging es einige Nächte lang. Und am Morgen fehlte nie ein Getreidehalm.

In einer Nacht waren wieder beide mit Getreidebündeln auf dem Rücken auf dem Weg zum Feld des Bruders. Da begegneten sie einander ...

Da wußte Gott, wo der Tempel der Bruderliebe gebaut werden sollte!

On the Creation of the World

God was very busy creating the world. At first he was not at all satisfied with what sprang from his hands. But in a more successful moment, he raised his arm, drew a large circle above his head – and created the heavens!

Then he held the void with his arms as if it were a ball – and created the Earth!

But, before he could continue creating anything more, Earth came and complained, "God, I want to be as close to you as the heavens."

God consoled Earth and promised that it would never feel lonely. And he created water and mountains, plants and animals, and people.

Everything was still in total darkness. And God wanted to admire his work, so he created the sun and the moon. As soon as they appeared in the sky, everything glistened in the bright light. In those days, the sun and the moon were the same size, and both poured their light over the Earth.

Soon, the moon appeared at God's throne. "Listen, God! I really like your creation, but ... don't you agree it would be enough if only one of us were to shine? I would ... "

God raised his hands and silence fell. Sadly, he looked at his work, and sadly, he had to realize that along with peace, strife and envy had also come into the world.

He turned to the moon and spoke, "Moon, you shall learn to share. From your light I shall create a million stars. And you shall learn to be humble. From now on, you will receive your light from the sun. And you shall learn to be modest. From now on you will stand in Earth's shadow."

Von der Erschaffung der Welt

Gott war sehr beschäftigt mit der Erschaffung der Welt. Anfangs war er nicht recht zufrieden mit dem, was da seiner Hand entstieg. Aber in einem guten Moment spannte er seinen Arm und zog über seinen Kopf einen Kreis – und hatte den Himmel erschaffen!

Er umfaßte das Nichts mit seinen Armen, als wäre es eine Kugel – und hatte die Erde erschaffen!

Bevor er sich jedoch mit weiterem Schöpfen beschäftigen konnte, kam die Erde und jammerte: „Gott, ich will dir auch so nahe sein, wie der Himmel es ist."

Gott tröstete die Erde und versprach ihr, dafür zu sorgen, daß sie sich nie einsam fühlen werde. Und erschuf Wasser und Berge, Pflanzen und Tiere und Menschen.

Alles lag noch in tiefer Dunkelheit. Gott aber wollte seine Geschöpfe bewundern – so erdachte er sich Sonne und Mond.

Sobald die beiden am Himmel erschienen waren, erstrahlte alles in hellem Licht. Damals waren Sonne und Mond gleich groß, und beide übergossen die Welt mit ihrem Licht.

Bald darauf erschien der Mond am Gottesthron: „Hör mal, Gott! Ich finde deine Schöpfung ja wirklich gut, aber ... meinst du nicht auch, es würde reichen, wenn einer von uns Licht verstrahlt? Ich würde ..."

Gott hob seine Hände, und Schweigen trat ein. Traurig betrachtete er sein Werk, und traurig mußte er erkennen, daß mit Frieden auch Zwietracht und Neid in die Welt gekommen waren.

Er wandte sich zum Mond und sprach: „Mond, du sollst lernen zu teilen. Ich werde aus dir Millionen Sterne schaffen. Und du sollst lernen, dich unterzuordnen. Du wirst dein Licht von nun an von der Sonne empfangen. Und du sollst lernen, bescheiden zu sein. Von nun an sollst du im Schatten der Erde stehen."

189

And so it was.

The moon begged God to forgive him.

"You must accept your lot, but I will also console you. A race of people, the Jews, will base their calendar on you and offer you their prayers."

And still today, the Jews base their calendar on the moon and not, as other peoples do, on the sun.

Und so geschah es.

Der Mond flehte Gott an, ihm doch zu verzeihen.

„Du hast dein Los zu tragen, aber ich will dich trösten: ein Menschenvolk, das Volk der Juden, wird ihre Tage nach dir berechnen und dir seine Gebete schenken."

Und noch heute berechnen die Juden ihren Kalender nach dem Mond und nicht, wie andere Völker, nach der Sonne.

The Wondrous Rabbi

A rabbi is a very wise man. Devotes himself to God and the Torah. Doesn't need much to live on. The rabbi Chanina ben Dossa was such a man, and much more. He spent his entire life studying the Torah and passing his wisdom and faith on to his pupils. Earthly life was of little concern to him. He ate to survive; he slept to be strong for tomorrow, and he had a wife who took care of everything else.

Yes, the wife of rabbi Chanina ben Dossa did not have an easy life. Her husband didn't earn any money because, as he always said, "God's teachings cannot be measured in money." But on the other hand, potato soup cannot be made from God's teachings. So the wife had to find a few cents on her own to put some food on her rabbi's table.

It was always worst on the Sabbath. When the women of the neighborhood baked their bread and prepared fish, the rabbi's wife sat in her kitchen counting her few hard rolls. Because poverty was so embarrassing to her, she heated up the oven so that the others would think that there was baking going on in the home of rabbi Chanina ben Dossa.

The neighbors peeped through the window and laughed at the rabbi's poor wife, because they knew for sure that the ben Dossas didn't have a penny. And one of them even snuck into the house to expose the rabbi's wife. She went to the oven, yanked it open, and ... "Oh my! Come quickly, or your bread will burn!" The rabbi's wife was in the next room, and when she came into the kitchen and discovered bread in the oven, baked golden brown, she thought to herself, "My good rabbi has created another miracle!"

When the rabbi came home his wife hugged and kissed him.

Der wundersame Rabbi

Ein Rabbi ist ein sehr gelehrter Mann. Lebt für Gott und für die Thora. Braucht nicht viel für sein Auskommen. So ein Mann und noch viel mehr war der Rabbi Chanina ben Dossa. Sein ganzes Leben hatte er damit verbracht, die Thora zu studieren und sein Wissen und seinen Glauben an die Schüler weiterzugeben. Das irdische Leben kümmerte ihn wenig. Er aß, um nicht zu verhungern, er schlief, um stark für den Morgen zu sein, und er hatte eine Frau, die alles andere besorgte. Ja, die Frau des Rabbi Chanina ben Dossa hatte es nicht leicht. Ihr Mann brachte ja kein Geld heim, denn, so sagte er immer, die Lehre Gottes läßt sich nicht in Geld aufwiegen. Aber aus den Lehren Gottes läßt sich kein Kartoffelgulasch machen. So mußte die Frau des Rabbi selbst sehen, wo sie ein paar Groschen hernahm, um ihrem Rabbi etwas Eßbares auf den Tisch zu setzen.

Am schlimmsten war es immer zu Sabbat. Wenn die Nachbarsfrauen die Fladen backten, den Fisch zubereiteten, saß die Frau des Rabbi in ihrer Küche und zählte das Johannisbrot. Weil ihr die Armut so peinlich war, heizte sie auch ein bißchen den Ofen, damit die anderen glaubten, auch im Hause des Rabbi Chanina ben Dossa würde nun für den Sabbes gebakken werden.

Die Nachbarn lauerten am Fenster und verlachten die arme Frau des Rabbi, weil sie genau wußten, daß die ben Dossas keinen Groschen besaßen. Und eine rannte sogar hinüber, ins Haus, um die Frau des Rabbi bloßzustellen, lief zum Ofen, riß ihn auf und ... „Oh, Frau, kommt schnell, sonst verbrennen eure Fladen!" – Die Frau des Rabbi war im Nebenzimmer gewesen, und als sie nun in die Küche trat und die goldbraun gebackenen Fladen im Herd sah, dachte sie sich: „Mein guter Rabbi hat wieder mal ein Wunder vollbracht!"

Als der Rabbi nach Hause kam, umarmte und küßte ihn

"Thank you for your miracle, my good husband!"

"No, no," said the rabbi, "don't thank me, thank God. Without him there would be no miracles!"

The next morning the ben Dossas sat together enjoying the wonderful bread. Then someone knocked at the door. Two men stood outside, who, having heard about the legendary fame of the rabbi, wanted to ask him a few questions. The rabbi invited them to share their bread. They chatted and ate and chatted and ate and when evening fell, the strangers said good-bye and left.

They hadn't been gone for more than five minutes when the rabbi's wife came running in and said excitedly, "Rabbi, rabbi, the strangers forgot a chicken, a live chicken. Run quickly, and take it to them!"

"I don't know where they came from nor where they are going. They'll surely come back for it. Until then, we'll just keep the chicken here."

And so, the chicken stayed in the house of rabbi Chanina ben Dossa. Soon, it began to lay eggs and the rabbi's wife was so happy that she could finally put something besides hard rolls on the table. But her husband said, "Wife, the hen doesn't belong to us, so the eggs don't belong to us either. Just leave them and let the chicken brood!" The chicken brooded and little chickens hatched, and they in turn also laid eggs and brooded and little chickens hatched, and they brooded …

And so, the rabbi's house turned into a chicken coop. On the table, in the bed, in the oven – chickens everywhere. But don't think that the rabbi's wife was allowed to slaughter even one chicken.

On and on, nothing but hard rolls – from Friday to Thursday – hard rolls.

Finally, the flock of chickens got to be too much even for the honorable rabbi, and one day he said, "We'll trade the chickens for two goats. They need less space."

So the goats arrived at the rabbi's house. Then one of the goats started getting fatter and fatter, and soon a little kid was born.

seine Frau: „Ich danke dir für dein Wunder, guter Mann!"
„Nein, nein", sagte der Rabbi, „danke nicht mir, danke Gott. Ohne ihn gäb's keine Wunder!"
Am nächsten Morgen saßen die ben Dossas zusammen und genossen das wunderbare Brot. Da klopfte es an der Tür. Zwei Männer standen draußen, die vom sagenhaften Ruhm des Rabbis gehört und einige Fragen an ihn zu richten hatten. Der Rabbi lud sie ein, mit ihnen zu essen, und sie schwätzten und aßen und schwätzten und aßen – dann war es Abend geworden, die Fremden verabschiedeten sich und gingen.
Sie waren keine fünf Minuten aus dem Haus, als die Frau des Rabbi aufgeregt gelaufen kam: „Rabbi, Rabbi, die Fremden haben ein Huhn, ein lebendiges Huhn bei uns vergessen. Lauf schnell und bringe es ihnen!"
„Äh, weiß nicht, woher sie gekommen sind und wohin sie gegangen sind. Sie werden schon wiederkommen. So lange lassen wir das Hühnchen hier."
Das Hühnchen blieb im Haus des Rabbi Chanina ben Dossa. Bald begann es Eier zu legen, und die Frau des Rabbi freute sich so sehr, daß sie endlich einmal was anderes auf den Tisch bringen konnte als Johannisbrot. Aber ihr Mann sagte: „Frau, das Huhn gehört nicht uns, die Eier gehören also auch nicht uns. Laß sie nur liegen und laß das Hühnchen brüten!"
Das Huhn brütete, und es schlüpften kleine Küken, und die legten wieder Eier und brüteten, und es schlüpften kleine Küken, und die brüteten … So verwandelte sich das Haus des Rabbi in einen Hühnerstall. Auf dem Tisch, im Bett, im Herd – überall Hühner. Aber glaubt nicht, daß die Frau des Rabbi auch nur ein Huhn schlachten durfte.
Weiter nichts als Johannisbrot – von Freitag bis Donnerstag – Johannisbrot.
Endlich wurde die Hühnerschar auch dem ehrenwerten Rabbi zuviel, und er sagte eines Tages: „Wir werden die Hühner gegen zwei Ziegen tauschen. Die brauchen weniger Platz."
So kamen die Ziegen in das Haus des Rabbi. Dann wurde eine Ziege dick und immer dicker, und bald war ein kleines Zick-

It grew up and also got fatter and fatter. What can I say? In one year the rabbi's house had transformed from a chicken coop into a goat pen. Until that also got to be too much for the rabbi, and he said, "We'll exchange the goats for a piece of land and some seeds."

And so a wheat field was planted behind the house. And it was a good year. And the next was even better. And the third year was so good and brought such a big harvest that the rabbi had to build a silo.

But, in Chanina ben Dossas' home, there were still only hard rolls to eat ...

One day five years later, there was a knock at the rabbi's door. Two men stood outside. Rabbi Chanina ben Dossa recognized them immediately. "Oh! You have come to get your chicken!"

"What chicken?" asked the strangers.

"The chicken you left here many years ago. I have taken care of things very well. Come along, I'll show you!"

The rabbi led them behind the house to a large silo and said, "This is what has become of your chicken! It belongs to you!"

"Rabbi, good rabbi!" exclaimed the men, "Now we remember. Back then, you were so generous even though you didn't have much for yourselves. That's why we hid the chicken in your house, because we knew that you would not accept it as a gift. It was yours and the grain belongs to you too!"

"No, no! If we had known back then that the chicken was a gift, we would have slaughtered it immediately and eaten it. I insist that you take your grain with you."

But the men left and did not take the grain. And what did the rabbi do? He divided all the grain among the poor people of the village! And the Chanina ben Dossas continued eating hard rolls – from Friday 'til Thursday – hard rolls.

lein geboren. Es wuchs heran und wurde auch dicker und immer dicker – was sage ich euch: in einem Jahr hatte sich das Haus des Rabbi vom Hühnerstall zum Ziegenstall gewandelt. Bis es dem Rabbi zuviel wurde, und er sagte: „Frau, wir tauschen die Ziegen gegen ein Stück Land und Saatgut."

Hinter dem Haus wurde also ein Getreidefeld angelegt. Und es wurde ein gutes Jahr. Und das nächste war noch viel besser. Und das dritte Jahr war so gut und brachte solche Ernte, daß der Rabbi einen Getreidespeicher bauen mußte.

Aber – im Haus des Rabbi Chanina ben Dossa gab es immer noch Johannisbrot ...

Nach fünf Jahren klopfte es eines Tages an die Tür des Rabbi. Draußen standen zwei Männer. Rabbi Chanina ben Dossa erkannte sie sofort. „Ah, ihr seid gekommen, euer Hühnchen abzuholen!"

„Welches Hühnchen?" fragten die Fremden.

„Das Hühnchen, das ihr bei mir vor vielen Jahren vergessen habt. Ich habe es gehütet. Kommt mit, ich zeige es euch!"

Der Rabbi führte sie hinters Haus, zu einem großen Getreidespeicher und sagte: „Dies ist aus eurem Hühnchen geworden! Es gehört euch!"

„Rabbi, guter Rabbi", riefen die Männer, „jetzt erinnern wir uns. Ihr ward damals so gastfreundlich, obwohl Ihr selbst nicht viel hattet. Deshalb versteckten wir das Huhn in Eurem Haus, weil wir wußten, Ihr würdet unser Geschenk nie annehmen. Es war Eures. Das Getreide gehört Euch!"

„Nein, nein, ich sage euch – hätten wir damals gewußt, daß das Huhn ein Geschenk ist, hätten wir es sofort geschlachtet und aufgegessen. Ich bestehe darauf, daß ihr euer Getreide mit euch nehmt."

Aber – die Männer nahmen das Getreide nicht und zogen weiter. Und was tat der Rabbi? Er verteilte das ganze Getreide an die Armen des Dorfes! Und die Chanina ben Dossas aßen weiterhin Johannisbrot – von Freitag bis Donnerstag – Johannisbrot ...

From the Buddhist and
Hindu Traditions

*

Aus dem Buddhismus und
Hinduismus

Thousand Mirrors

$\mathcal{A}$ dog had heard of a very special temple. It was the Temple of a Thousand Mirrors! The dog didn't know what a mirror was, but it sounded like fun, and since he had nothing special to do, he set out on his way – to the Temple of a Thousand Mirrors.

He traveled for many days and many weeks, and finally he stood before the mysterious temple.

He ran up the stairs, opened the door, and entered. There, a thousand dogs were looking at him from a thousand mirrors. And he was happy, and he wagged his tail. And in a thousand mirrors a thousand dogs were also happy, and they all wagged their tails! The dog thought to himself, "The world is full of happy contented dogs." And from then on, he went to the Temple of a Thousand Mirrors everyday!

One afternoon, another dog came to the Temple of a Thousand Mirrors. He too ran up the steps, opened the door, and entered. There, a thousand dogs looked at him from a thousand mirrors. The dog became very frightened and growled and put his tail between his legs. And, from a thousand mirrors a thousand dogs growled, and all of them put their tails between their legs. And the dog thought, "The world is full of mean growling dogs." And he never returned to the Temple of a Thousand Mirrors.

Where, do you think, is this Temple of a Thousand Mirrors located?

You'll find it right at your own front door! If you go through life with bright eyes and an open heart, you will meet people who also go through life with bright eyes and an open heart. However, if you go around with closed eyes and a snarl, you will meet only the same kind of people.

Tausend Spiegel

Ein Hund hatte von einem ganz besonderen Tempel gehört: es war der Tempel der tausend Spiegel! Der Hund wußte nicht, was ein Spiegel war, aber es hörte sich lustig an, und er hatte sowieso nichts Besonderes zu tun, und so machte er sich auf den Weg – zum Tempel der tausend Spiegel.

Viele Tage, viele Wochen war er unterwegs, und endlich stand er vor dem geheimnisvollen Tempel.

Er lief die Treppen hinauf, öffnete das Tor und trat hinein. Da sahen ihm aus tausend Spiegeln tausend Hunde entgegen. Und er freute sich, und er wedelte mit dem Schwanz. Da freuten sich in tausend Spiegeln tausend Hunde und wedelten auch alle mit dem Schwanz! Der Hund dachte sich: Die Welt ist voller glücklicher und zufriedener Hunde. Und von nun an kam er jeden Tag in den Tempel der tausend Spiegel!

An diesem Nachmittag kam ein anderer Hund in den Tempel der tausend Spiegel. Auch er lief die Treppen hinauf, öffnete das Tor und trat hinein: Da sahen ihm aus tausend Spiegeln tausend Hunde entgegen. Der Hund bekam große Angst und knurrte und zog seinen Schweif ein. Da knurrten aus tausend Spiegeln tausend Hunde und zogen auch alle ihren Schweif ein. Und der Hund dachte sich: Die Welt ist voller böser, knurrender Hunde. Und er kam niemals mehr in den Tempel der tausend Spiegel!

Wo, glaubt ihr, befindet sich dieser Tempel der tausend Spiegel?

Ihr findet ihn direkt vor eurer Tür! Derjenige, der offenen Herzens und mit wachen Augen durch die Welt geht, wird Menschen treffen, die mit offenen Herzen und wachen Auges durch die Welt gehen.

Derjenige aber, der verschlossen und mit bösem Blick umhergeht, wird auch nur solche Menschen treffen ...

The Clever Hare

Once there was a python who carelessly crawled into a hunter's trap. When the man returned to fetch his prey, he saw the giant snake in his cage. "What are YOU doing in my trap?" exclaimed the man, "I was actually expecting a lion or a tiger!" "Well, if that's the case, you can just let me go," hissed the snake, "I promise not to do anything to you – word of honor." "A snake's word of honor isn't much good," thought the man, "and besides, a python like this makes a great catch. But then again, I've never killed a snake … "

The man thought back and forth, and finally he opened the cage and freed the snake. But the mighty animal threw himself at the man immediately, wound his body around him and began to slowly crush him to death.

"Did you really think that I would let you go? 'Don't ever let humans get away alive' – a little snake wisdom!"

"Wait," moaned the man with his last breath, "To see if you're being fair, we should choose another animal as a judge."

The snake agreed immediately, because he knew that every animal in the jungle would agree with him.

Then they both went to look for a judge. The first animal that they came across was a lion. After he had heard the whole story he growled, "Well, you actually wanted to catch me? And I'm sure you would not have let me go!" It was obvious that with his claws pointed down, he meant – death!

"Just a minute!" yelled the man, "The lion was thinking only of revenge. We have to look for a different judge."

"Gladly!" answered the snake, and they went on. Next, they

Die List des Hasen

Einmal geschah es, daß ein Python durch seine Unvorsichtigkeit in die Falle eines Menschen ging. Als der Mensch zurückkehrte, um die Beute zu holen, sah er die riesige Schlange in seinem Käfig. „Was machst du in meiner Falle", rief der Mensch, „ich hatte eigentlich einen Löwen oder einen Tiger erwartet!"

„Nun, wenn das so ist, kannst du mich ja freilassen", wisperte die Schlange, „ich werde dir bestimmt nichts tun, Ehrenwort."

Ein Schlangenehrenwort gilt nicht viel, dachte sich der Mann, außerdem ist so ein Python eine schöne Beute. Andererseits habe ich noch nie eine Schlange getötet ...

Der Mann überlegte hin und her, und schließlich öffnete er den Käfig und ließ die Schlange frei. Aber sofort stürzte sich das mächtige Tier auf den Mann, wand seinen Körper um ihn und begann, ihn langsam zu erdrücken.

„Hast du wirklich gedacht, ich würde dich laufen lassen? Einen Menschen läßt man nicht lebendig entkommen – Kleines Schlangen-Einmaleins!"

„Warte", jammerte der Mann mit letztem Atem, „wir wollen ein Tier zum Richter wählen, das soll entscheiden, ob du richtig handelst."

Die Schlange war sofort einverstanden, denn sie wußte: Jedes Tier im Dschungel dachte wie sie.

Nun suchten die beiden nach einem Richter. Das erste Tier, das sie trafen, war ein Löwe. Als dieser die ganze Geschichte gehört hatte, knurrte er: „Ah, mich wolltest du fangen? Aber mich hättest du sicher nicht mehr freigelassen!" Es war klar, daß er mit seiner Pranke nach unten deutete – Tod!

„Einen Moment", rief der Mensch, „der Löwe dachte nur an seine Rache. Wir müssen einen anderen Richter suchen."

„Gern", antwortete die Schlange, und sie gingen weiter. Als

met a mole. After he had heard the story, he said quickly, "The man must die, it's obvious. Snake, you are right!"

"I don't accept this sentence either," said the man, "the mole is afraid of you because he's your favorite prey. I, on the other hand, have hardly ever seen this animal."

"As you wish!" laughed the snake, who was very sure of himself, "Let's look for another judge."

An elephant came jogging along. When he was asked to judge, he remembered his brother, who had been killed by a human. "I condemn you, not out of revenge," said the elephant, "but because I am afraid that I could be your next victim!"

"Now," asked the snake, "enough judges?"

"Let's ask one last animal. It must be possible to find at least one fair animal in this jungle."

Just then a sleepy hare hopped out of his hole. "Well, are you satisfied with this judge?" sneered the snake.

The hare had the incident described to him in detail. He acted as if he were considering it carefully, furrowed his brow and said, "There are some things I don't completely understand. And because it's a matter of life and death, I would like to try to carry out my duties correctly. Well then, snake, how exactly did the incident take place? Can you show me where you got into the trap?"

"Of course, little rabbit, come on!" said the snake and wriggled back to the bush where the open cage was still standing. "Aha, so that's it, I see, I see. And you were trapped in the cage?"

"Yes, of course."

"Could you possibly show me how it happened?"

"I wasn't thinking, wriggled into it, about like so …"

The hare hopped closer. "Was the cage open or closed?"

204

nächstes trafen sie ein Faultier. Nachdem es die Geschichte gehört hatte, sagte es schnell: „Der Mensch muß sterben, klar, Schlange, du hast recht!"

„Auch diesen Richtspruch anerkenne ich nicht", sagte der Mann, „es hat Angst vor dir, weil es deine Lieblingsbeute ist. Ich hingegen bekomme dieses Tier kaum zu Gesicht."

„Bitte, wie du wünschst", lachte die Schlange, die sich ihrer Sache sehr sicher war, „suchen wir einen anderen Richter."

Ein Elefant kam dahergetrottet. Als er sein Urteil sprechen wollte, dachte er an seinen Bruder, der von einem Menschen getötet worden war. „Ich verurteile dich nicht aus Rache", sagte der Elefant, „sondern weil ich Angst habe, ich könnte dein nächstes Opfer sein!"

„Nun", meinte die Schlange, „genug Richter?"

„Fragen wir noch einen letzten. Es muß doch in diesem Dschungel irgendein gerechtes Tier zu finden sein."

Da hoppelte ein Hase ganz verschlafen aus seinem Loch.

„Na, bist du mit diesem Richter einverstanden?", höhnte die Schlange.

Der Hase ließ sich den Vorfall genau schildern. Er tat so, als würde er sorgfältig überlegen, legte seine Stirn in Falten und sagte: „Es gibt da einige Dinge, die ich nicht ganz verstehe. Da es aber immerhin um Leben oder Tod geht, möchte ich doch versuchen, mein Amt richtig auszuüben. Also, Schlange, wie spielte sich der Vorfall genau ab? Kannst du mir zeigen, wo du in die Falle geraten bist?"

„Natürlich, Häschen, komm!", sagte die Schlange und schlängelte sich zu dem Busch, in dem noch der offene Käfig stand.

„Aha, das ist er, ich sehe, ich sehe. Und du bist im Käfig gefangen gewesen?"

„Ja, natürlich."

„Könntest du mir vielleicht zeigen, wie es geschah?"

„Ich dachte an nichts, schlängelte mich hinein, ungefähr so ..."

Der Hase hoppelte näher: „War die Käfigtür geschlossen oder offen?"

"Well, at first it was open, and then closed!"

"Fine," he said, turning to the hunter. "Please close the cage so that I can see exactly how everything happened."

The man closed the cage.

"And now what?" asked the snake, who still hadn't seen through the hare's cleverness.

"Now you'll hear my verdict, snake," said the hare. "Getting caught was your own fault. Then, the man showed his good will by trusting you. You, on the other hand, broke your word. I'll leave it up to the man to judge you."

And with this wise decision, the hare hopped away ...

„Na, zuerst war sie offen und dann geschlossen!"

„Gut, Mensch, schließe bitte den Käfig, damit ich genau sehen kann, wie sich alles abgespielt hat."

Der Mann verschloß den Käfig.

„Und was jetzt?", fragte die Schlange, die die List des Hasen noch immer nicht verstanden hatte.

„Nun kennst du mein Urteil, Schlange", sagte der Hase, „durch eigene Schuld wurdest du gefangen. Der Mensch hatte dir vertraut, hat also sein gutes Herz bewiesen. Du hingegen hast dein Wort gebrochen. Ich überlasse es dem Menschen, über dich zu urteilen."

Und mit diesem weisen Richtspruch hoppelte der Hase davon...

Providence

"Everything is written in a big book; Everything has a purpose. Even if we often do not understand the purpose until much later." Those were the words of an old man whom no-one really took very seriously.

"Why is there hunger in the world?" asked his son, "Why is there sickness? What does it all mean?"

"I told you; often we do not see the purpose right away. But misfortune is given to us so that we may endure it."

"I don't believe it, I never have believed it, and never will!"

Once, the old man and his son went hunting together. Before they entered the forest they heard an owl hoot three times. After a short pause it hooted once again.

"Did you hear?" said the old man, "The owl is trying to tell us something. We should turn back."

"Nonsense, Father, it's pure coincidence that the owl hooted and that we heard it."

"If that's what you think," and they rode on. Went deeper and deeper into the forest until they could ride no further because of the undergrowth.

"We are lost," said the son. "It would be better to continue on foot."

They got off their horses and continued on foot. But soon, darkness ran through the forest, and they prepared to make camp for the night. The son broke branches from the trees, the old man collected large leaves, and the son cut vines with his knife to tie the branches together for a roof. He was careless for just a moment, his knife slipped, and he cut off his right thumb.

"What purpose does this serve?" moaned the son, "Do you even see some meaning in me losing my thumb?"

Die Vorsehung

„Alles steht in einem großen Buch geschrieben, alles ergibt einen Sinn. Auch wenn wir diesen Sinn oft erst viel später begreifen." – Das waren die Worte eines alten Mannes, den man nicht recht ernst nahm.

„Was ist mit dem Hunger auf der Welt?" fragte sein Sohn, „was mit den Krankheiten? Worin liegt da ein Sinn?"

„Ich sagte dir doch, den Sinn erkennt man oft nicht sofort. Aber alle Dinge sind uns gegeben, um sie zu bewältigen."

„Das glaube ich nicht, das glaube ich nie und nimmer!"

Einmal gingen der Alte und sein Sohn gemeinsam auf die Jagd. Bevor sie in den Wald eindrangen, hörten sie einen Kauz dreimal rufen. Nach einer kurzen Pause rief er noch einmal.

„Hast du gehört", sagte der Alte, „der Kauz will uns etwas mitteilen. Wir sollten umkehren."

„Blödsinn, Vater, der Kauz hat zufällig gerufen, und wir haben es zufällig gehört."

„Wenn du meinst" – und sie ritten weiter. Kamen immer tiefer in den Wald, bis sie nicht mehr weiterkamen, weil das Dickicht zu undurchdringlich geworden war.

„Wir haben uns verirrt", sagte der Sohn, „es wird besser sein, zu Fuß weiterzugehen."

Sie stiegen ab und gingen zu Fuß weiter. Aber schon lief die Dunkelheit durch den Wald, und die beiden machten sich daran, ein Lager für die Nacht zu richten. Der Sohn brach Zweige von den Bäumen, der Alte sammelte große Blätter. Dann schnitt der Sohn mit seinem Messer Lianen, um damit die Äste zu einem Dach zusammenzubinden. Einen Augenblick war er unvorsichtig, rutschte mit seinem Messer ab und schnitt sich den Daumen seiner rechten Hand ab.

„Wozu soll das gut gewesen sein?" jammerte der Sohn, „erkennst du vielleicht auch darin einen Sinn, daß ich nun meinen Daumen verloren habe?"

The old man was silent and left his son alone with his anger. After midnight strange shapes suddenly began moving toward where the son was sleeping. They were warriors of a lost tribe, who had been sent out this night to catch an animal to sacrifice to their God. The more perfect and the more beautiful the sacrifice, the more merciful their God would be.

One can imagine the warriors' joy at having found such a wonderful sacrifice. They bound the son and brought him back to the village amidst shouts of joy.

In the village, everything was prepared for the sacrifice. The son was undressed and tied to a stone. Next, his hands, feet and head had to be wrapped with leaves. Suddenly, the warriors screamed. They had noticed the missing finger. The terrified villagers ran shrieking in every direction. They had nearly offered their God an injured, inferior sacrifice. The old man had watched everything from a distance and then freed his son.

"You see," said the old man, "everything is written in the great book. I hope you believe me now!"

Der Alte schwieg und ließ seinen Sohn mit seiner Wut allein.
Nach Mitternacht bewegten sich plötzlich seltsame Gestalten
auf den Schlafplatz des Sohnes zu. Es waren Krieger eines ver-
borgenen Stammes, die in dieser Nacht ausgeschwärmt waren, um ein Opfertier für ihren Götzen zu fangen. Je makello-
ser und schöner dieses Opfer war, um so gnädiger sollte der
Götze gestimmt sein.

Man kann sich die Freude der Krieger vorstellen, ein so wunderbares Opfer gefunden zu haben. Sie fesselten den Sohn und
brachten ihn unter Freudengeschrei in ihr Dorf.

Dort war bereits alles für die Opferung vorbereitet. Der Sohn
wurde entkleidet und an einen Stein gebunden. Nun mußten
ihm die Hände, die Füße und der Kopf mit Blättern umwickelt
werden. Plötzlich schrien die Krieger auf: Sie hatten bemerkt,
daß dem Menschen ein Finger fehlte. In wilder Angst liefen die
Dorfbewohner kreischend auseinander: man hatte dem Götzen ein verletztes, versehrtes, minderes Opfer darbringen wollen! Der Alte hatte aus der Ferne alles mit angesehen und be-
freite seinen Sohn.

„Du siehst", sagte der Alte, „es steht alles im großen Buch geschrieben. Ich hoffe, daß du mir nun glaubst!"

The Most Important

Near a small stream under a tree, the wind had blown a grain of rice, a chamomile blossom and a piece of sugar cane. The three began to tell about their trip and about their homeland. "I," said the grain of rice, "grew up in a huge rice field. We have been chosen to give strength to mankind."

"My home," added the chamomile blossom, "was on a high plateau. Every year we are picked by careful human hands and made into tea for the sick."

"What you are saying is all very interesting," said the sugar cane, "but sugar is produced from my body, and this makes life sweeter for everyone."

Each was convinced they were the most important thing on earth.

Then a flame, who had slipped away from a nearby fire, interrupted them, "I overheard your conversation, and I must say that you haven't a clue about life. You might all be very important, but without me, fire, you would have no impact. For it is through me that your energy is released. Don't forget that!"

"The fire is right," began the tree suddenly, "but our friend forgot one thing; it is my wood which makes the fire. Therefore, I am the most important!"

"And who makes you grow, tree, – makes everything grow?" a fine voice could suddenly be heard, "I do, water. Without me on my long journey to the sea none of you would exist. In spite of that, I would never claim to be the most important. God has assigned each one of us a role to play, and we must fulfill it. The belief in being more important than all others should be left to human beings."

Das Wichtigste

In der Nähe eines Baches, unter einem Baum, waren vom Wind ein Reiskorn, eine Kamillenblüte und ein Stück Zuckerrohr abgesetzt worden. Die drei begannen, von ihrer Reise und von ihrer Heimat zu erzählen.

„Ich", sagte das Reiskorn, „bin in einem riesigen Reisfeld aufgewachsen. Wir sind dazu auserwählt, dem Menschen Kraft zu geben."

„Ich", erzählte die Kamillenblüte, „war auf einer Hochebene zu Hause. Jedes Jahr werden wir von feinen Menschenhänden gepflückt, um Tee für kranke Menschen zu werden."

„Ist ja sehr interessant, was ihr da erzählt", sagte das Zuckerrohr, „aber aus meinem Körper gewinnt man den Zucker, der das Leben versüßt."

Jeder war davon überzeugt, das Wichtigste auf Erden zu sein. Da mischte sich ein Feuerstrahl ein, der sich von einem Feuer in der Nähe davongeschlichen hatte.

„Habe eure Unterhaltung mit angehört. Ich muß sagen, ihr habt vom Leben wenig Ahnung. Ihr mögt ja alle sehr wichtig sein, aber ohne mich, das Feuer, würdet ihr überhaupt nicht zur Wirkung kommen. Denn durch mich wird eure Energie erst frei. Vergeßt das nicht!"

„Das Feuer hat recht", begann plötzlich der Baum, „nur hat unser Freund etwas vergessen: mein Holz ist es, das erst Feuer entstehen läßt. Folglich bin ich das Wichtigste!"

„Und wer läßt dich wachsen, Baum, läßt alles wachsen?" war plötzlich eine feine Stimme zu hören, „ich, das Wasser. Ohne mich und meinen weiten Weg zum Meer gäbe es euch alle nicht. Trotzdem würde ich nie behaupten, am wichtigsten zu sein. Jeder hat von Gott seine Rolle zugedacht bekommen, und die erfüllen wir. Der Glaube, wichtiger zu sein als anderes, soll dem Menschen vorbehalten bleiben ..."

About Talking

A disciple asked his master, "Master, is there any purpose in talking a great deal?"

His master answered him, "Take the frog. It croaks day and night until it can hardly croak anymore. With what result? Nobody listens to it.

Take the rooster, on the other hand. He crows only once, at the break of day. But, with what result? Everyone listens to him and wakes up ... "

Über das Sprechen

Ein Schüler fragte seinen Meister: „Meister, hat es einen Sinn, viel zu sprechen?"

Sein Meister antwortete ihm: „Nimm den Frosch. Er quakt Tag und Nacht, bis er kaum einen Ton mehr hervorbringt. Mit welchem Ergebnis? Keiner hört ihm zu.

Nimm hingegen den Hahn. Er kräht nur einmal, wenn der Tag anbricht. Aber welch ein Ergebnis! Jeder hört auf ihn und erwacht …"

The End of the World

It must have been many many centuries ago. There lived on Earth a mighty lion, which many centuries later would be reincarnated as Buddha. This lion lived in a cave near the sea.

Not far from there lived a small rabbit under a date palm. Even as a baby rabbit, he worried about everything possible: why the sea roars, why the night is so dark, and why you always have to be running away from bigger, stronger animals. He was grown up now, but he still worried too much. Above all, he constantly thought about the end of the world.

One day, after a big lunch, he was resting under his date tree when a date fell into the grass next to him. The date didn't make an especially loud thud, but it was loud enough for the rabbit. Completely terrified, he was shocked from his nightmares about the end of the world! The sound of the thud was still ringing in his ears, and in his mind it had grown into an incredible rumble. In panic, he ran toward the sea, past his neighbor, who yelled after him, "What has happened?" The little rabbit didn't stop. "Don't ask, run for your life!" The neighbor hopped along behind him. "Yes, but what's it all about?!" Still running, the little rabbit turned his head briefly and panted, "It's the end of the world!" After this catastrophic news the other rabbit hopped even faster, too.

A third rabbit had heard it all and was already yelling, "It's the end of the world; it's the end of the world!" The terrible news spread at break-neck speed and every creature that could run, or crawl, or fly followed the little rabbit.

The lion heard the thundering from his cave. He stepped outside and saw far off a huge throng of animals racing panic-

Die Welt geht unter

Es muß viele Jahrtausende her sein. Da lebte auf der Erde ein mächtiger Löwe, der viele Jahrtausende später als Buddha wiedergeboren werden sollte. Dieser Löwe wohnte in einer Höhle nahe des Meeres.

Nicht weit davon entfernt lebte ein kleiner Hase unter einer Dattelpalme. Schon als Hasenkind hatte er sich um alles mögliche Sorgen gemacht: wieso das Meer so rauscht, warum die Nacht so dunkel ist und wie es kommt, daß man ständig auf der Flucht vor größeren, stärkeren Tieren sein muß. Jetzt war er erwachsen, aber dachte immer noch zuviel nach. Er dachte vor allem ständig an den Weltuntergang.

Eines Tages lag er vollgefressen unter seiner Dattelpalme, als eine Dattel neben ihm ins Gras fiel. Die Dattel machte keinen besonders lauten Plumps, aber für den Hasen reichte es. Völlig verschreckt wurde er aus seinen Weltuntergangsalpträumen gerissen! In seinen Ohren klang immer noch dieser Plumps, der sich durch seine Gedanken in ein unglaubliches Grollen verwandelt hatte. In panischer Angst lief er in Richtung des Meeres. Vorbei an seinem Nachbarn, der ihm nachrief: „Was ist passiert?" Der kleine Hase stoppte nicht: „Frag' nicht, lauf um dein Leben!" Der Nachbar hoppelte hinterdrein: „Ja aber – worum geht's denn?!" Der kleine Hase wandte sich im Laufen kurz um und keuchte: „Die Welt geht unter!" Nach dieser Katastrophenmeldung beschleunigte auch der Nachbarhase seine Fluchtsprünge.

Ein dritter Hase hatte alles beobachtet und schrie auch schon: „Die Welt geht unter, die Welt geht unter!" In rasender Geschwindigkeit verbreitete sich die Schreckensnachricht, und alles, was rennen oder kriechen oder fliegen konnte, folgte dem kleinen Hasen.

Der Löwe hörte in seiner Höhle ein Donnern. Er trat ans Licht und sah von weitem eine riesige Menge Tiere in wilder Panik

stricken toward the sea. Then he roared. He roared so loudly that even the trampling of the animals seemed like a whisper. And this roar brought the animals to a standstill. "What's wrong with all of you?" he asked the rhinoceros, "Why are you running so wildly?"

"Haven't you heard? It's the end of the world!"

"How do you know that?"

"The tigers told us!"

"And where did you hear it, tigers?"

"From the giraffes." And the giraffes heard it from the deer and the deer from the birds and the birds from the buffaloes and the buffaloes from the foxes and the foxes from the big rabbits, and the big rabbits heard it from the medium-sized rabbits, and the medium-sized rabbits heard it from the little ones and the ... And finally the little rabbit was standing before the great lion. "So you were the first to say that the world was ending? Why?"

The little rabbit looked confused and stuttered, "It's the end of the world, it's going to end any moment!"

The lion comforted him and asked, "Have you seen mountains falling in? Has the earth opened up?"

"No, not that, but I heard a terrible thud."

"A thud? Where?"

"When I was taking an afternoon nap under my date tree."

"And how can you be so sure that the thud meant the end of the world?"

"But ... I ... in my mind ... suddenly ... "

"You know what?" said the lion, "We'll run back to your date tree and check if it is still standing and see where the thud came from."

The little rabbit was allowed to ride on the lion's back and they set off.

Just as they approached the tree, a date fell to the ground. "Well, was this the kind of thud you heard?"

auf das Meer zurasen. Da brüllte er. Er brüllte so laut, daß selbst das Trampeln der Tiere sich wie Flüstern anhörte. Und dieses Brüllen stoppte die Tiere.

„Was ist los mit euch?" fragte er die Nashörner, „was rennt ihr wie verrückt?"

„Weißt du es noch nicht, die Welt geht unter!"

„Wie kommt ihr darauf?"

„Die Tiger haben es gesagt!"

„Und woher habt ihr es, Tiger?"

„Von den Giraffen." Die Giraffen wußten es von den Rehen und die Rehe von den Vögeln und die Vögel von den Bisons und die Bisons von den Füchsen und die Füchse von den gro-ßen Hasen, und die großen Hasen wußten es von den mittle-ren Hasen, und die mittleren Hasen hatten es von den kleinen gehört und die ... Da stand nun der kleine Hase vor dem gro-ßen Löwen. „Du hast also als erstes gesagt, die Welt geht un-ter. Warum?"

Der kleine Hase schaute verwirrt und stotterte: „Die Welt geht unter, gleich geht sie unter!"

Der Löwe beruhigte ihn und fragte: „Hast du Berge einstür-zen sehen? Hat sich die Erde aufgetan?"

„Nein, das nicht, aber ich habe einen schrecklichen Plumps gehört."

„Einen Plumps? Wo?"

„Als ich mein Mittagsschläfchen unter meiner Dattelpalme hielt."

„Und woher weißt du so genau, daß der Plumps der Welt-untergang war?"

„Aber ... ich ... meine Gedanken ... plötzlich ..."

„Weißt du was", sagte der Löwe, „wir laufen nun schnell zu deiner Dattelpalme und sehen nach, ob sie noch steht und wo-her der Plumps kam."

Der kleine Hase durfte sich auf den Rücken des Löwen setzen, und die beiden sprengten davon.

Gerade als sie bei der Dattelpalme ankamen, fiel eine Dattel zu Boden. „Na, war es so ein Plumps, den du gehört hattest?"

"Yes," answered the little rabbit and felt very ashamed.

"Where were you lying when you heard the thud?" The rabbit pointed to the place, the lion reached into the grass, and, guess what, he picked up a date. "Here is your end of the world," said the lion.

But he did not say it mockingly. Because the truly strong understand how easily the weak are frightened.

„Ja", antwortete das Häschen und schämte sich sehr.

„Wo bist du gelegen, als du den Plumps hörtest?" – Der Hase zeigte auf die Stelle, der Löwe beugte sich hinunter ins Gras, und, siehe da, er hob eine Dattel auf. „Da haben wir deinen Weltuntergang", sagte der Löwe. Aber er sagte es nicht etwa spöttisch. Denn der Starke versteht, wie leicht der Schwache Angst hat ...

Till and an Interesting Story

When Till arrived in town, he heard about a storyteller who could excite the people so much that they forgot everything around them. Till naturally did not want to miss the chance to have a good time. He entered the tent that the man had set up in the main square, paid the entrance fee, sat down in the circle of listeners and paid careful attention.

"There was once a magician," began the storyteller, "one of the good kind, who wandered about the world. One day he passed by a blacksmith shop, heard loud crying and grieving, thought to himself that he might be able to conjure up some help, and went in.

The blacksmith, his wife and their host of children were crying about their old grandmother, who lay in bed – dead. 'Oh, if only she hadn't died,' wailed the whole family.

The magician felt sorry for them and asked if he should bring her back to life again. For a nice piece of cake, something could surely be done.

'Yes, of course,' cried the blacksmith and couldn't believe his luck that the magician just happened to wander by his house. The magician picked up the dead body, carried it into the shop, laid it first into the fire and then onto the anvil. Amidst loud incantations and mysterious singing, he finally took the smith's hammer and hit the body of the dead woman as long as it took for her to suddenly open her eyes, get up and, younger and more beautiful than ever before, fall into the arms of her son, her daughter-in-law, and her grandchildren.

Many years passed. The blacksmith's wife had become a little old woman. When she died, the family wasn't especially distressed.

Till und eine interessante Geschichte

Als Till in die Stadt kam, hörte er von einem Geschichtenerzähler, der die Leute so begeistern konnte, daß sie alles rund-
herum vergaßen. Die Gelegenheit, sich gut zu unterhalten,
wollte Till natürlich nicht verpassen. Er trat in das Zelt ein, das
der Mann auf dem Hauptplatz aufgebaut hatte, zahlte seinen
Eintritt, setzte sich in den Kreis der Zuhörer und lauschte.

„Es war einmal ein Zauberer", begann der Erzähler, „einer
von der guten Sorte, der wanderte durch die Welt. Eines Tages kam er an einer Schmiede vorbei, hörte lautes Weinen und
Klagen, dachte sich, hier kann ich vielleicht ein bißchen Hilfe
zaubern und trat ein.

Der Schmied, seine Frau und die Kinderschar weinten um die
alte Großmutter, die tot in ihrem Bett lag. ‚Ach wär' sie doch
nicht gestorben', jammerte die ganze Familie.

Der Zauberer hatte Mitleid mit ihnen und fragte, ob er sie
denn wieder lebendig machen solle – für ein gutes Stück Kuchen wäre da schon was zu machen.

‚Ja, freilich', rief der Schmied und konnte sein Glück nicht fassen, daß der Zauberer gerade jetzt an seinem Haus vorbeige-
wandert war.

Der Zauberer nahm die Tote, trug sie in die Werkstätte, legte
sie zuerst ins Feuer und dann auf den Amboß. Unter lauten
Beschwörungsformeln und rätselhaften Gesängen nahm er
schließlich den Schmiedehammer und klopfte so lange auf
dem Körper der Toten herum, bis sie plötzlich ihre Augen auf-
schlug, sich erhob und jung und schöner als je zuvor ihrem
Sohn, der Schwiegertochter und ihren Enkelkindern in die
Arme fiel.

Viele Jahre waren vergangen. Aus der Frau des Schmiedes war
ein altes Mütterchen geworden. Als sie starb, war die Familie
gar nicht sonderlich betrübt.

'I can remember precisely what the honorable magician performed with my mother way back when,' said the blacksmith. 'And it will most probably work with my wife, too!' He laid her first into the forge, then onto the anvil, spoke incantations, and sang, and with his heaviest hammer hit the body of the dead woman. But – horror of horrors, the pitiful blacksmith had smashed his wife into a thousand pieces!

Just by chance, the magician was passing by the blacksmith's shop again this time, heard loud crying and grieving, thought to himself that he might need to conjure up a little help again, and went in.

The blacksmith begged the magician to help him once again. The magician immediately realized what had transpired and said, 'Blacksmith, look what you have done to your poor wife. You've smashed her to bits. What's left is not enough to make a woman again. It's hardly enough to make even an animal. But, I'll try.'

And the magician worked long and the magician worked hard, and he was finally able to create a monkey from the remains of the dead woman. And thus came these animals into our world…"

The audience, above all the males, rolled on the floor in laughter and some of them yelled, "Right on!" whereupon they were beat on the head by the women sitting next to them. The atmosphere in the tent was really at a highpoint.

Only one person did not laugh: Till, the clown, the joker. Suddenly he stood up, proceeded to the front, where the storyteller was just about to begin with his next witty tale, and said, "With your permission, oh great storyteller, I would like to complete the delightful story, which you have begun."

"What do you mean, complete?" yelled the audience and the storyteller, "It already had a wonderful ending!" And again, there was uproarious laughter in the tent.

‚Ich kann mich haargenau an alles erinnern, was der gnädige Herr Zauberer damals mit meiner Mutter aufführte', sagte der Schmied. ‚Das wird mit meiner Frau wohl auch funktionieren!' Er legte sie zuerst in das Schmiedefeuer, dann auf den Amboß, sprach Beschwörungsformeln und sang und hieb mit seinem schwersten Hammer auf den Leib der Toten ein. Aber – oh Schreck, der unglückliche Schmied hatte seine Frau in tausend Stücke geschlagen!

Zufällig kam der Zauberer auch dieses Mal an der Schmiede vorbei, hörte lautes Weinen und Klagen, dachte sich, hier muß ich vielleicht wieder ein bißchen Hilfe zaubern, und trat ein. Der Schmied flehte ihn an, ihm noch einmal zu helfen.
Der Zauberer erkannte sogleich, was hier vor sich gegangen war und sagte: ‚Schmied, was habt Ihr nur mit Eurer armen Frau angestellt. Habt sie zerschlagen. Was von ihr übriggeblieben ist, reicht nicht, um daraus wieder eine Frau zu machen. Es reicht kaum, um ein Tier zu schaffen. Aber ich will es versuchen.'
Und der Zauberer arbeitete lang, und der Zauberer arbeitete schwer, und dann hatte er aus den Resten der toten Frau einen Affen erschaffen – so kamen diese Tiere auf unsere Erde."

Die Zuhörer, vor allem die männlichen, kugelten am Boden vor Lachen, einige von ihnen riefen: „Stimmt", worauf sie von den Frauen, die neben ihnen saßen, Kopfstücke fingen. Die Stimmung im Märchenzelt war wirklich auf dem Höhepunkt. Nur einer lachte nicht: Till, der Narr, der Spaßvogel. Plötzlich stand er auf, ging nach vorne, wo der Geschichtenerzähler gerade mit seiner nächsten witzigen Geschichte beginnen wollte, und sagte: „Mit Eurer Erlaubnis, großer Erzähler, möchte ich diese köstliche Geschichte, die Ihr begonnen habt, zu Ende erzählen!"
„Wieso zu Ende erzählen?" riefen die Zuhörer und rief der Erzähler, „sie hat doch schon ein wunderbares Ende!" Und wieder dröhnte es vor Lachen im Zelt.

"I am sure you are curious about its continuation. Of course, I am no master storyteller like this man here, but I'll do my best."

"It was a bright sunshiny day. God looked upon his earth and was happy and content. 'Bravo,' he said to himself again and again, 'Bravo!' And out of pure joy and the desire to create, he fashioned as his final work the tree of paradise: with leaves that shone like a thousand suns, with blossoms that were reminiscent of diamonds and sapphires, and fruit, which was not only a mirror image of the entire creation, which not only possessed the sweetest taste, but also fruit which bestowed on all those who ate of it wisdom, goodness and generosity.

God had forbidden the animals to even dare approach the tree of paradise, for it was to have a very special purpose one day – which God was not yet really sure about himself.

One day a female monkey had strayed so far away from her family that she couldn't find her way back. She wandered aimlessly around the forest until she suddenly felt drawn to a magic light. She followed the glittering rays and discovered ... the tree of paradise.

Although she had heard of God's law, she simply couldn't resist and she ate of its fruit.

When God saw what had happened he wanted to send a little bolt of lightning to Earth, in order to punish the disobedient creature, but then he realized that the wondrous characteristics which he had breathed into the fruit would only have meaning if they could also be passed on. And so it was. In order to differentiate this monkey, in whose being the noble characteristics of the fruit had begun to awaken, from the other members of her species, it would be wise, thought God, to also craft for her a new body corresponding to her newly acquired nature.

It was again a bright sunshiny day. God was in a fabulous mood and proud of his creation, and especially the being he

„Da werdet ihr sicher auf die Fortsetzung neugierig sein. Ich bin natürlich kein Meistererzähler wie dieser Mann hier, aber ich werde mein Bestes geben."

„Es war an einem strahlenden Sonnentag gewesen. Gott schaute auf seine Erde und war glücklich und zufrieden. ‚Bravo', sagte er immer wieder zu sich selbst. ‚Bravo!' Und aus purer Freude und Schöpfungslust schuf er zum Abschluß den Paradiesbaum: mit Blättern, die wie tausend Sonnen strahlten, mit Blüten, die an Diamanten und Saphire erinnerten, und Früchten, die nicht nur ein Spiegelbild des gesamten Paradieses waren, die nicht nur den süßesten Geschmack besaßen, sondern auch dem, der von ihnen aß, Weisheit, Güte und Großmut schenkten.

Gott hatte es den Tieren streng untersagt, sich in die Nähe seines Paradiesbaumes zu wagen – der sollte eines Tages eine besondere Aufgabe übernehmen – welche, wußte Gott selbst noch nicht so recht.

Eines Tages hatte sich eine Äffin so weit von ihrer Familie entfernt, daß sie den Weg nicht mehr zurückfand. Sie irrte in den Wäldern umher, bis sie plötzlich von einem magischen Licht angezogen wurde. Sie folgte dem Glitzern und entdeckte den Paradiesbaum.

Obwohl sie von Gottes Verbot gehört hatte, konnte sie einfach nicht widerstehen und aß von den Früchten.

Als Gott das sah, wollte er zuerst einen kleinen Blitz zur Erde senden, um das ungehorsame Geschöpf zu bestrafen, doch dann überlegte er, daß die wunderbaren Eigenschaften, die er den Früchten eingehaucht hatte, ja nur dann einen Sinn hätten, wenn sie auch weitergegeben werden könnten. Um jedoch die Äffin, in deren Innerem bereits die edlen Eigenschaften der Frucht zu erwachen begannen, von ihren Artgenossen zu unterscheiden, wäre es klug, dachte Gott, ihr auch eine neue, ihrem gewonnenen Wesen entsprechende Hülle zu verpassen. Es war wieder mal ein strahlender Sonnentag gewesen, Gott bestens gelaunt und stolz auf seine Schöpfung, und das We-

had just created. It reflected precisely the characteristics of the tree of paradise and the wise, good, generous female monkey became the first woman on earth!

Because this creature – later to be called *human* – possessed all of the characteristics that God desired, she became the guardian of the tree of paradise.

One day an especially strong and equally stupid donkey lost his way and strayed into the vicinity of the tree. He saw the light and the glitter, pushed the woman aside with brute force, and standing on his two back legs he tried to reach the fruit. With his front hooves he had already knocked off one piece of fruit when the woman, armed with a club, ran up and with all her might hit him across his front legs so hard that both of them broke.
With the fruit in his mouth and running on his back legs, the donkey tried to escape. But because he wasn't used to running on just two legs, the woman soon caught up and ripped the fruit from his mouth. In the process a tiny, actually a minis-cule piece of the fruit, got caught in his teeth, and the donkey swallowed it greedily.
Because the donkey had now also eaten of this precious fruit, God had no other choice but to also give him a new body."

Till stood up and went to the exit. He stopped there, turned around and said, "By the way, the day I just told you about was a dark rainy day and God was in a damned foul mood. And what impact did that have on creation? Women, look around you and you will see."

sen, das er an diesem Tag schuf, entsprach exakt der Stimmung dieses paradiesischen Tages: die weise, gütige, großmütige Äffin wandelte sich zur ersten Frau auf Erden!

Da sie all die Eigenschaften besaß, die sich Gott von einem Wesen, das *Mensch* heißen sollte, wünschte, wurde die Frau zur Hüterin des Paradiesbaumes.

Nun verirrte sich eines Tages ein besonders starker, aber auch ebenso dummer Esel in die Nähe des Baumes. Er sah das Leuchten, sah das Glitzern, stieß mit seiner rohen Gewalt die Frau zur Seite und versuchte, auf seinen zwei Hinterbeinen stehend, eine Frucht zu erreichen.
Mit seinen Vorderhufen hatte er bereits eine abgerissen, als die Frau, mit einem Stock bewaffnet, gerannt kam und ihm mit all ihrer Kraft auf die Vorderbeine schlug, daß diese brachen.
Mit der Frucht im Maul, auf den Hinterbeinen laufend, versuchte der Esel zu flüchten. Aber da er es ja nicht gewohnt war, nur auf zwei Beinen zu rennen, hatte ihn die Frau bald eingeholt und riß ihm die Frucht aus dem Maul.
Dabei blieb ein kleines, eigentlich ein winzig kleines Stückchen der Frucht zwischen seinen Zähnen hängen, das das Tier gierig verschlang.
Da nun auch der Esel von der wertvollen Frucht gekostet hatte, blieb Gott nichts anderes übrig, als auch diesem Wesen eine neue Hülle zu geben."

Till stand auf und ging zum Ausgang. Er blieb aber noch einmal stehen und sagte:
„Übrigens: Dieser Tag, von dem ich euch zuletzt erzählte, war ein regnerischer, trüber Tag, und Gott war verdammt schlecht gelaunt. Welche Folgen das für die Schöpfung hatte – Frauen schaut euch um, dann seht ihr es!"

Till and Happiness

Along the way, Till met a man who was sitting at the side of the road with an unhappy stare. "What is wrong with you? To make such a pitiful face on such a glorious sunny day seems almost blasphemous!"

"Leave me alone. You see the world in bright colors, but for me it appears to be dismal gray."

"Do you have no wife and children? No house and no job?" asked Till, full of sympathy.

"On the contrary, I have all of these, but still I cannot find happiness. Possibly because I don't know what *happiness* means. So, I left everything behind, have nothing more than my backpack and am now in search of happiness. But so far I have not found it. Nowhere."

Till glanced toward the sky, praised Buddha with a short prayer and…

ripped the backpack away from the stranger and ran away! The man screamed, "Help! Stop that thief!" and wanted to run after Till, but quickly gave up when he noticed that this thief seemed to have wings.

The unhappy man dragged himself along the way, now in even greater despair after this disastrous encounter with this hypocrite, who had spoken to him about happiness.

"Sure, he found his happiness – my backpack with everything I owned…"

Suddenly he saw his backpack lying at the side of the road. He grabbed it, danced, cheered, and sang out happily, "I have it back, I have it back."

Then Till stepped out from behind a bush and said, "Now you see how little it takes to discover moments of happiness. Only not all of them lie so conveniently at the side of the road."

Till und das Glück

Till traf unterwegs auf einen Mann, der am Wegrand saß und unglücklich dreinschaute. „Was ist los mit dir? An einem so herrlichen Sonnentag ein so verdrießliches Gesicht zu machen, kommt fast einer Gotteslästerung gleich!"

„Laß mich in Frieden. Du siehst die Welt in bunten Farben, für mich aber erscheint sie in düsterem Grau."

„Hast du keine Frau und keine Kinder? Kein Haus und keinen Beruf?" fragte Till voll Mitleid.

„Doch, alles habe ich und kann doch mein Glück nicht finden. Vielleicht, weil ich nicht weiß, was *Glück* bedeutet. So habe ich alles zurückgelassen, habe nichts mehr als diesen Rucksack und bin auf der Suche nach dem Glück. Aber bisher konnte ich es nirgends finden. Nirgendwo."

Till blickte zum Himmel, lobte Buddha mit einem kurzen Gebet ...

... riß den Rucksack des Fremden an sich und rannte davon!
Der Mann schrie noch „Hilfe! Haltet den Dieb!" und wollte Till nachjagen, gab aber gleich auf, als er sah, daß dieser Dieb Flügel zu haben schien.

Der Unglückliche schleppte sich weiter, noch verzweifelter nach dieser für ihn so unheilvollen Begegnung mit diesem Heuchler, der über das *Glück* mit ihm gesprochen hatte.

„Ja, er hat sein Glück gefunden – meinen Rucksack mit allem, was ich besaß ..."

Plötzlich sah er am Wegesrand seinen vollen Rucksack liegen.
Er stürzte sich auf ihn, tanzte, jubelte und sang vor Glück: „Ich hab' ihn wieder, ich hab' ihn wieder."

Da trat Till hinter einem Busch hervor und sagte: „Siehst du, so wenig braucht es, die Augenblicke des Glücks zu entdecken. Nur – nicht alle liegen so einfach am Wegesrand."

The Old Man

On the village square stood a group of people who were having a fight. They yelled at each other and were just about to start punching when they were interrupted by a strange noise: a light constant knocking – like the very loud ticking of a clock. It seemed as if it had descended from the sky, rounded the corner and then snuck into the market place. A man, ancient and hunched over, was feeling his way along the edge of the houses with his white cane – tap – tap – tap.

All at once, the people, who just moments before had been involved in a violent squabble, all did the same thing. Their eyes were drawn to the old man, who, undisturbed by anything happening around him, slowly putting one foot in front of the other, crossed the square – tap – tap – tap, and walked directly toward the people, who had to step back in order not to block his path.

And somewhere, in the sudden silence of the moment, a rooster crowed.

The wind turned slightly.

A strong fragrance came from the little parish garden.

The ancient man with the white cane had already reached the opposite side of the village square, continued feeling his way along the walls of the houses – tap – tap – tap, and then disappeared around the corner.

The light constant knocking – like the loud ticking of a clock – slowly faded away.

Possibly it had taken only a few minutes, but just as possibly, even a few hours for the old man to cross the square, right through the middle of the squabbling villagers; but it was long enough to make the people forget what they were actually fighting about …

Der alte Mann

Auf dem Dorfplatz stand eine kleine Gruppe von Menschen, die in einen Streit verwickelt war. Sie brüllten sich gegenseitig an, fast prügelten sie sich schon, als sie plötzlich von einem seltsamen Geräusch gestört wurden: ein leises, gleichbleibendes Klopfen – wie ein sehr lautes Ticken einer Uhr. Es schien wie vom Himmel herabzukommen, bog aber um die Ecke auf den Marktplatz: ein steinalter, gebeugter Mann tastete sich mit seinem Blindenstock an den Hausmauern entlang – Tack – Tack – Tack.

Die Leute, die noch vor Sekunden in einen heftigen Streit verwickelt gewesen waren, taten mit einem Mal etwas Gemeinsames: ihre Augen waren auf den Alten gerichtet, der unbeirrt von allem, was um ihn herum vorging, langsam, einen Fuß vor den anderen setzend, über den Platz schritt – Tack – Tack – Tack, genau auf die Leute zukam, die zurücktreten mußten, um nicht seinen Weg zu behindern.

Und in diese plötzliche Stille hinein krähte irgendwo ein Hahn.

Machte der Wind eine kurze Drehung.

Kam aus dem Pfarrgärtchen ein starker Duft.

Nun war der steinalte Mann mit seinem Blindenstock schon an der anderen Seite des Dorfplatzes angekommen, tastete sich wieder an den Hausmauern entlang – Tack – Tack – Tack – und verschwand um die Ecke.

Das leise, gleichbleibende Klopfen – wie ein sehr lautes Ticken einer Uhr – verstummte langsam.

Vielleicht waren es nur Minuten, vielleicht aber auch Stunden gewesen, die der Alte gebraucht hatte, um den Platz, mitten durch die Streitenden hindurch, zu überqueren – lange genug, um die Leute vergessen zu lassen, worum es in ihrem Streit eigentlich gegangen war ...

The Bird Cage

The student had worked hard for several months. Now it was time to test him. His master led him into a room where there was a cage. A beautiful bird sat inside it – silent and sad. "Listen. My bird has lost his ability to sing. You need only to remember what I have taught you. Then it will be easy for you to help him overcome his problem. There is only one condition: you're not allowed to open the door of the cage." And with that, the master left him alone.

The student stood before the cage and thought: Perhaps the bird has forgotten all of his songs. And he began to sing to the bird all of the songs he knew. But the bird remained silent. Perhaps it is hungry and thirsty. And the student gave the bird all kinds of food and drink. But the bird remained silent. Then he tried all kinds of toys – to cure boredom. He made a toy bird sing songs – to help its memory, and finally, he told him wonderful stories about trees, rivers and the wind. But the bird remained silent.

The next morning, the master returned.

"Master, your bird must have a serious illness. I've tried everything but I couldn't get it to sing."

"You have understood none of my teachings," answered the master, went to the cage and opened it. The bird flew out and with a loud and joyous song disappeared into freedom.

"But Master!" exclaimed the pupil, "You forbade me to open the cage!"

"By doing so I wanted to show you that this was the only so-

Der Vogelkäfig

Der Schüler hatte viele Monate eifrig studiert. Nun wollte ihn sein Meister prüfen. Er führte ihn in einen Raum, in dem ein Käfig stand. Ein wunderschöner Vogel saß darin und starrte stumm vor sich hin.

„Höre meine Aufgabe: Der Vogel hat die Kunst des Singens verloren. Du brauchst nichts anderes zu tun, als dich an das zu erinnern, was ich dich in den letzten Monaten lehrte. Dann wirst du es schaffen, ihn von seinem Unglück zu befreien. Nur eines ist dir verboten: die Türe des Käfigs zu öffnen!" Und damit ließ er seinen Schüler allein zurück.

Der Schüler stand vor dem Käfig und überlegte.

Vielleicht, dachte er, hat der Vogel alle seine Lieder vergessen? Und er begann, dem Tier alle Lieder vorzusingen, die er kannte. Aber der Vogel blieb stumm.

Vielleicht hat er Hunger und Durst? Und der Schüler ließ den Vogel von den köstlichsten Speisen und Getränken kosten. Aber der Vogel blieb stumm.

Dann versuchte er es noch mit allerlei Spielzeug gegen Langeweile, ließ einen kleinen bunten Vogel singen, zur Erinnerung, und zuletzt erzählte ihm der Schüler die schönsten Geschichten von den Bäumen, Flüssen und dem Wind. Aber der Vogel blieb stumm.

Am nächsten Morgen erschien der Meister.

„Euer Vogel muß eine schwere Krankheit haben. Ich habe alles versucht, aber er war nicht zum Singen zu bringen."

„Du hast nichts von meinen Lehren begriffen", antwortete der Meister. Ging zum Käfig, öffnete die Tür, der Vogel flog hinaus, zum Fenster, und mit lautem, glücklichem Gesang verschwand er in der Freiheit.

„Aber Meister", rief der Schüler, „Ihr hattet mir doch verboten, den Käfig zu öffnen!"

„Damit gab ich dir ja zu verstehen, daß dies die einzige Lö-

lution to the problem. But the order I gave you was stronger than your reasoning. And your fear of the consequences if you disobeyed was stronger than your sympathy for the bird."

sung der Aufgabe sei. Aber das von mir ausgesprochene Verbot war stärker als deine Vernunft. Und die Angst vor den Folgen, wenn du es brichst, war stärker als dein Mitgefühl."

„Neues zur alten Geschichte I, II, III", „Eine alte Geschichte" aus „Der schöne Drache" von Folke Tegetthoff, Edition Neues Märchen (1991) – „Der erste weiße Mensch" (OT: „Wie die Schwarzen und die Weißen entstanden"), „Die Pferdefliege", „Noah" aus „Märchen des schwarzen Amerika", Hg. Frederik Hetmann, © Fischer Verlag, Frankfurt 1974 – „Rosmarin", „Dill" aus „Folke Tegetthoffs Kräutermärchenbuch Band 2", Ueberreuter Verlag, Wien 1989 – „Brief an die Stille", „Der Zauberwürfel", „Frieden" aus „Märchenbriefe" von Folke Tegetthoff, Edition Neues Märchen 1990 – „Gottes Bäume", „Der Vogelkäfig", „Der alte Mann" aus „Alles Märchen" von Folke Tegetthoff, Residenz Verlag, Salzburg 1993 – „Der lange Weg" aus „Reisemärchen" von Folke Tegetthoff, Residenz Verlag, Salzburg 1993 – „Hodscha und die neuen Sterne", „Hodscha und das Bad", „Till und die goldenen Hühner", „Till und das Lernen", „Till und eine interessante Geschichte" aus „Till und Hodscha" von Folke Tegetthoff, Residenz Verlag, Salzburg 1993 – „Die große Sechzehn und der Teufel" aus „Nordamerikanische Märchen", Hg. Frederik Hetmann, © Fischer Verlag, Frankfurt 1973 – „Der Anwalt" bis „Liebe wie Salz" aus „Contes flamands", Teirlinck, Bruxelles – „Licht ins Dunkel" Folke Tegetthoff – Alle jüdischen Märchen aus „Jüdische Märchen", Hg. Leo Pavlat, © Verlag Dausien, Hanau, außer „Der Fuchs als Anwalt", „Ein chassidisches Problem", „Der Schmetterling", gehört von Josi Sela (Israel) – „Häuptling Kairé und der Totenkopf" aus „Südamerikanische Märchen", Hg. Felix Karlinger, © Fischer Verlag, Frankfurt 1973 – „Der Bock", „Der Tagdieb und der Nachtdieb", gehört (Kairo) – „Tod in Bagdad", „Acker des Lebens", gehört von Josi Sela – „Mohammed und der Bettler" (OT: „Wer ist der Bedürftige") nach einer Geschichte aus „Die fabelhaften Heldentaten des vollendeten Narren und Meisters Mulla Nasrudin" von Idries Shah, © Herder Verlag, Freiburg – „Tausend Spiegel" – „Die Vorsehung", „Das Wichtigste" – „Die List des Hasen", gehört – „Über das Sprechen" von Mo Zi, aus „Lebensweisheiten aus China", Hg. Friedhelm Denninghaus und Josef Reding, Herder TB 1277, © Josef Redling – „Die Welt geht unter" aus „Buddhistische Schatzkiste", Hg. Buddhistisches Seminar, Katzeneichen 6, D-95463 Bindlach.